¿QUIÉN ES EL HOMBRE DE TUS SUEÑOS?

¿Es sexy? ¿Romántico? ¿Te deja sin aliento?

Queremos saber lo especial que es tu hombre.

¡Y que gane el concurso de modelo para una cubierta de una novela de Encanto!

Inscribe a tu hombre en:

EL CONCURSO DEL HOMBRE SOÑADO DE ENCANTO

El ganador recibirá:

¡Un viaje de tres días y dos noches, con todos los gastos pagados, a Nueva York!

Mientras esté en Nueva York, el ganador participará en una conferencia de prensa, una sesión fotográfica para una cubierta de Encanto, y disfrutará de compras, cenas, recorridos turísticos, teatros y ¡un sin fin de sueños hechos realidad en la Gran Manzana!

¡Y además el ganador saldrá en una cubierta de una novela de Encanto!

PARA PARTICIPAR: (1) Envíanos una carta donde nos digas en 200 palabras o menos por qué piensas que tu hombre debe ganar. (2) Incluye una foto reciente de él. Escribe la siguiente información, tanto sobre ti como sobre tu nominado, en la parte de atrás de cada foto: nombre, dirección, teléfono, la edad del nominado, su estatura y su peso.

LAS ENTRADAS DEL CONCURSO DEBEN SER RECIBIDAS EL 15 DE MARZO DEL 2000 O ANTES.

ENVÍA LAS ENTRADAS A:
Encanto Dream Man Contest
c/o Kensington Publishing
850 Third Avenue
NY, NY 10022

No es necesario comprar para participar. Abierto a todos los residentes legales de Estados Unidos, de 21 años de edad o mayores. Las entradas ilegibles serán descalificadas. Límite de una entrada por sobre. El concurso no es válido donde no es autorizado por la ley.

ISABEL, MI AMOR

Gloria Alvarez

Traducción por
Nancy Hedges

Pinnacle Books
Kensington Publishing Corp.
http://www.pinnaclebooks.com

Para mi madre y mi padre,
Carlos y Jacqueline Alvarez,
quienes siempre creyeron en mi.
No hay nadie mejor que Ustedes.

PINNACLE BOOKS son publicados por

Kensington Publishing Corp.
850 Third Avenue
New York, NY 10022

Traducción por Nancy Hedges

Primera edición de Pinnacle: February, 2000
10 9 8 7 6 5 4 3 2 1

Impreso en los Estados Unidos de América

CAPÍTULO UNO

Isabel Sánchez suspiró aliviada. Por fin había llegado a Río Verde, Texas. 1800 habitantes.

Metió su coche en el primer lugar de estacionamiento que encontró y apagó el motor. Rotando los hombros y estirando el cuello, se bajó del vehículo, sacudiendo las piernas. Lo que debió haber sido una manejada de tres días desde el estado de Ohio le había tomado una semana, porque el motor de su Jeep Cherokee se había desbielado en medio del estado de Kansas. Ya había faltado a sus primeros días laborales. El doctor Rodríguez le había dicho que no se preocupara, pero Bel estaba frustrada de todas maneras. Había gente contando con ella; tenía que estar disponible.

Pues, ya estaba disponible. Y dado que el reloj sobre su tablero decía que apenas era la una y media, todavía le quedaba la mitad de un día para orientarse. Podría observar al doctor Rodríguez, ver la distribución de la clínica, conocer a su enfermera. Mañana se metería de lleno, empezando a dar consulta a los pacientes.

Respiró profundamente y se estiró de nuevo bajo el sol de ese mediodía otoñal. En Ohio, el verano ya se había dejado vencer por los días frescos de otoño. Pero no aquí en el suroeste de Texas. El aire era árido y caliente, y sobre ella flotaba un cielo azul claro que parecía extenderse al infinito. Tanto espacio libre le provocaba a Isabel cierto nivel de nerviosismo, dadas las vistas urbanas a las que estaba acostumbrada desde su infancia. Tendría que acostumbrarse.

Tendría que acostumbrarse a todo. Era una nueva vida, un nuevo comienzo. Extendió la mano hacia la parte trasera de su vehículo y sacó una bata de laboratorio limpia que estaba sobre el asiento trasero. Su nombre estaba bordado en rojo sobre el bolsillo izquierdo; Isabel Sánchez, M.D. Deslizó un dedo sobre las letras, recordando las lágrimas de alegría de su madre cuando se recibió de médico, ganando el derecho a usar aquellas siglas profesionales.

—Justo como tu padre —su mamá había dicho—. Él habría estado tan orgulloso de ti.

"Bueno, mamá, papi, aquí estoy", pensó Bel, poniéndose la bata sobre su camisa azul y pantalón caqui. "¿Tienen idea de lo que me espera?".

Ella medio se lo imaginaba. Río Verde era una pequeña clínica rural que contaba con sólo un médico, una enfermera de medio tiempo, ningún hospital y lo que el doctor Rodríguez había descrito como "un pobre remedo de laboratorio." El trabajo sería duro, los días largos, y el sueldo muy bajo para su profesión.

Sin embargo, era un puesto del Cuerpo de Servicios de Salud Pública, y eso significaba que el gobierno de los Estados Unidos estaría pagando una gran parte de sus préstamos estudiantiles a cambio de dos años de su vida. Y mientras estuviera aquí, podría aportar algo en beneficio del pueblo.

A Bel le agradaba el prospecto de trabajar con el doctor Rodríguez. Jamás había planeado venir al sur de Texas, donde su solo nombre crearía impresiones falsas entre sus pacientes. Pero ella había sentido una afinidad instantánea con el anciano médico cuando habían hablado por teléfono, como si él tuviera algo que a ella le faltaba, y como si viniendo a Río Verde ella quizás pudiera adquirir de él lo que le faltaba.

Podría comenzar ahora mismo. La clínica estaba cerca, sobre esa misma calle. Sacando también su maletín de médico del asiento trasero, cerró el coche con llave y empezó a caminar.

Y se quedó parada, pasmada al ver la clínica. Dos hombres estaban atornillando unas tablas de triplay sobre las ventanas, y la palabra "CERRADO" destacaba en grandes letras negras sobre la áspera madera.

Ella empezó a correr, no parándose sino hasta agarrar a uno de los hombres por los hombros, haciéndolo girar hacia ella para exigirle:

—¿Qué es lo que pasa? No pueden cerrar esta clínica.

El hombre se liberó de ella y terminó de atornillar el triplay.

—La mesa directiva lo ordenó, señora —dijo altaneramente—. El doctor Rodríguez murió hace dos días.

—¿Cómo? —Bel no podía creer lo que estaba escuchando—. Pero yo acabo de hablar con él…

No terminó la frase, dándose cuenta de lo ridículo que sonaba. Ella era médico, y sabía cuan frágil podía ser la vida. Pero el doctor Rodríguez… ¿muerto? No podía ser.

Pero así era. El par de hombres y el zumbido de los taladros y tornillos eran suficiente prueba de ello. Ella sintió una punzada de dolor por el colega que le había caído tan bien a través de un sinnúmero de pláticas telefónicas, y otra punzada por la familia que había dejado.

Pero él no habría querido que se cerrara la clínica. Ella lo había llegado a conocer lo suficiente como para saber que era tan apasionado como ella en cuanto a la salud pública.

—Deténganse ahora mismo —ordenó a los hombres—. Yo soy la doctora Sánchez. Yo voy a estar administrando la clínica de ahora en adelante, y necesito entrar para ver el lugar. Estaremos dando consulta mañana mismo.

—Disculpe, señora. Nuestras órdenes son que nadie entra. Hay demasiadas cosas ahí adentro, como drogas y jeringas. Por eso estamos tapiando las entradas con madera.

—No sean ridículos. —ella caminó hacia la puerta principal, que los hombres aún no había tapado con madera, y sacó la llave que el doctor Rodríguez le había enviado por correo junto con su contrato—. Voy a entrar. Quiten toda esa madera. ¡Ahora!

En cuanto ella metió la llave en la chapa, uno de los hombres la tomó por los hombros, y el otro le quitó la llave. Los dos la miraron, repitiendo las palabras con expresión impotente:

—Disculpe. No puede entrar.

Ella arrebató el brazo de el que la había sostenido y extendió la mano para recobrar la llave, pero el hombre la alzó fuera de su alcance.

—¿Quién los contrató? —dijo ella furiosa.

—La mesa directiva de la clínica. Javier Montoya.

Bel buscó dentro del bolsillo de su pantalón, sacando varias monedas, y las entregó a uno de los hombres.

—Vaya a llamar al señor Montoya. Dígale que la doctora Sánchez se encuentra aquí y que ella lo quiere ver, ¡ahora mismo!

Los dos hombres se consultaron entre sí, y luego uno de ellos corrió calle abajo y desapareció en la cafetería de la esquina, mientras el otro se quedó con ella. Una especie de guardia.

Bel se mordió la lengua, furiosa. No le gustaba tener que recurrir a la intimidación, pero por Dios, la mesa directiva sabía que ella iba a llegar en cualquier momento. Ella tenía un contrato firmado. ¿Por qué habrían enviado al par de obreros a cerrar la clínica? Podrían haber montado una guardia si les preocupaban mucho los gabinetes donde se guardaban los medicamentos. Pero era una locura tapar el lugar con madera. ¿Qué se suponía que iba a hacer la gente que necesitaba consulta médica?

Ella caminaba frente a la clínica con impaciencia, esperando que el hombre regresara con noticias del señor Montoya. Ella recordaba el apellido ahora; estaba en su contrato, era el presidente del consejo de la Clínica de Río Verde. El tipo le estaba causando bastante mala impresión, si, efectivamente, él había ordenado esta clausura.

Antes de regresar el segundo hombre, un viejo y maltratado Dodge Dart verde se acercó, con sus llantas rechinando sobre el pavimento, casi chocando contra la camioneta que tenía el resto de las hojas de triplay.

Una mujer, cuya cara reflejaba una gran desesperación, estaba manejando. Saltó del coche, echó un vistazo a las ventanas tapiadas con madera y lloriqueó:

—¡Mi niña! Está grave. ¿Dónde está el doctor Rodríguez?

El hombre se acercó a ella, colocando un brazo sobre su hombro.

—¿No supo? Él murió hace dos días. Tendrá que ir hasta Del Río hasta que consigamos un nuevo médico.

Ante las palabras del hombre, a Bel se le subió peligrosamente la presión arterial. ¿No les había comunicado de manera perfectamente clara que ella era doctora, entrenada para curar a los enfermos? ¿Qué es lo que pasaba aquí?

Pero se detuvo antes de hablar. La mujer era joven y estaba alterada, y lo mejor que podía hacer era mantener la calma.

—¿Señora? —Bel dijo suavemente, alejándola del hombre—. Yo soy la doctora Sánchez. ¿En qué puedo servirle?

—¿Usted es doctora? —preguntó la mujer desesperadamente.

Bel asintió con la cabeza, agregando:

—¿Qué es lo que sucede?

—Mi bebita. Está en el coche. Esta ardiendo con fiebre, se niega a comer, está enferma.

—Déjeme ver. —Caminó con la mujer hacia el coche, donde la bebita estaba acostada sin moverse en la sillita de coche. Bel extendió la mano, colocándola sobre la frente de la criatura, abriéndole un párpado para descubrir sus facciones hundidas. Desabrochó el cinturón y la sacó del coche.

—Vamos adentro para poder revisarla de modo más completo.

—¿Está... abierta?

—Sí —dijo Bel firmemente—. No hago caso de ese letrero.

—No puede entrar, señora...

Ella vio de reojo al hombre, quien todavía tenía su llave.

—Abre... la... puerta.

Él permaneció inmutable, y formando una línea delgada y apretada con los labios, Bel abrió su maletín. Sacando un pesado diapasón de metal, con un fuerte golpe abrió un agujero en el cristal justo arriba de la manija de la puerta, limpiando los pedazos de vidrio hasta que pudo meter la mano sin cortarse para girar la manija de la puerta.

Y caminó hacia adentro, cargando a la bebita con un brazo, su maletín con el otro. La madre de la niña la siguió. Pasmado, el hombre siguió a las dos.

Ella prendió una luz, vio la sala de recepción y se estremeció. El lugar era extremadamente deprimente, con oscuros paneles de madera, duros bancos también de madera, revistas viejas y unas sillas tapizadas con plástico color naranja con verde. Las hojas de triplay sobre las ventanas tampoco ayudaban.

Al cuarto le urgía una renovación. Pero ya tendría que ver eso después. En este momento ella tenía que entrar en la parte principal de la clínica.

Dio la vuelta a la manija de la puerta. Cerrada con seguro. Por supuesto. Pero se trataba sólo de una cerradura de botón, y Bel sacó del bolsillo de su bata los broches que siempre guardaba ahí para aquellos días cuando su cabello café claro se negaba a quitarse de sus ojos. Abrió uno insertó un palito del broche en la cerradura, empujándolo hasta soltar el resorte y abrirla.

—¿Por qué no va a ver qué puede hacer para arreglar aquel agujero? —le dijo al hombre, tomando la mano de la mujer entre las suyas, llevándola suavemente con ella.

—¿Cómo se llama? ¿Qué edad tiene?

—María Gutiérrez. La bebita se llama Laura. Tiene cinco meses.

Bel encontró un consultorio y acostó a la bebita sobre la plancha. Luego buscó entre el instrumental para encontrar lo que necesitaba.

Encontrando un termómetro, lubricó el extremo y tomó la temperatura de Laura. La bebita estaba demasiado enferma para protestar, y Bel apretó los labios. Los bebés se enfermaban tanto y tan rápidamente. Afortunadamente, mejoraban con la misma rapidez, siempre y cuando se les administraran los medicamentos adecuados.

—¿Cuánto tiempo lleva así? —preguntó, sacando el termómetro luego de menear la cabeza. Lo colocó en el lavabo y empezó a lavarse las manos. Ya con las manos limpias, mojó una toalla de mano y la colocó sobre la frente de la bebita.

—Desde anoche. Vine hoy por la mañana, pero no había nadie. Ella se puso peor, así que regresé, *y*...

—Siento mucho lo sucedido —dijo Bel—. Parece que hay un malentendido. Pero ya estoy aquí y voy a ayudarla.

No había ninguna lamparilla sobre la mesa de instrumental, así que Bel sacó la suya de su maletín. Examinó la garganta de Laura, sus oídos, palpó el abdomen de la niña y auscultó su corazón y sus pulmones.

Volteando hacia la madre nerviosa, Bel dijo:

—Señora Gutiérrez, Laura tiene una infección en el oído. Son infecciones que pueden enfermar mucho a los bebés, pero son fáciles de tratar. Nada más tengo que saber cuánto pesa y luego podemos darle la medicina que necesita. ¿Podría acompañarme?

De regreso en el área principal de la clínica, Bel descubrió que no había ninguna báscula para bebés. El doctor Rodríguez le había advertido que "faltaba equipo", así que Bel hizo que María se pesara con y sin la bebita en sus brazos, y luego, se disculpó para salir un momento.

Hizo un breve recorrido de los demás cuartos en la clínica, buscando el gabinete de medicamentos. Había tres pequeños y pobremente amueblados consultorios, la oficina del doctor Rodríguez, el área de la enfermera/recepcionista que había visto al entrar, y finalmente un laboratorio angosto en la parte trasera donde encontró parte de lo que quería, muestras médicas, pero ningún equipo para aplicación intravenosa.

Mezcló las soluciones de antibióticos y regresó al escritorio de la enfermera. Había visto ahí un rolodex; quizás pudiera encontrar ahí el número telefónico de la farmacia.

No lo encontró alfabéticamente en inglés, pero como se trataba del suroeste de Texas... quizás...

Tal y como lo había adivinado, estaba detrás de la letra efe, como Farmacia García. Después de hacer la llamada, abrió la puerta hacia la recepción.

—¿Cómo se llama usted? —le preguntó al hombre que ya estaba de nuevo con su compañero.

—Ben Hernández —contestó, y su tono ya estaba suavizado con respeto.

—Señor Hernández —dijo Bel secamente—, la bebita está muy enferma. Necesito unas cosas de la farmacia. ¿Sabe usted dónde queda?

Él asintió con la cabeza.

—Qué bueno. Ya he hablado con el farmacéutico. ¿Podría usted ir ahí para recoger lo que pedí, por favor? Dígales que lo carguen a la cuenta de la clínica.

—Sí, señora.

—Gracias. —al verlo salir, Bel volteó hacia el otro hombre—. ¿Alguna noticia respecto al señor Montoya?

—Llegará en cualquier momento —dijo, y su voz mostró un tono de admiración. Los dos hombres debieron haber estado hablando de su entrada dramática. Bueno, no había remedio.

Como si fuera un anuncio, se abrió la puerta principal, haciendo sonar una campanita. Y, hacia el recibidor cavernoso entró algo salido de un sueño erótico. Medía aproximadamente un metro ochenta y cinco, con ojos tan oscuros como el diablo y un toque de cabello negro que caía al azar sobre su ceja derecha. Su cara era delgada, su nariz aguileña, pero el efecto general era extremadamente masculino, de una manera decididamente perturbadora.

Y su cuerpo... A pesar de sí misma, Bel sostuvo la respiración. Parecía un a modelo salido de las páginas de una revista, con un físico musculoso y duro casi demasiado grande para el pantalón apretado de mezclilla que portaba. Con una camisa blanca de cuello abierto y un saco sport blanco y negro, Bel podía ver que sus hombros hacían perfectamente juego con el resto de su ser.

—Julio —le dijo él al hombre—, ¿qué pasó?

Julio se encogió de hombros.

—La doctora, nada más…

—¿Señor Montoya? —interrumpió Bel, pues tenía que ser Montoya—. Soy la doctora Sánchez. Si pudiera esperar aquí mientras termino con mi paciente, necesito hablar con usted.

—¿Su paciente? —preguntó él, incrédulo.

—Mi paciente. Por eso estoy aquí, después de todo. El señor Hernández acaba de regresar de la farmacia con unas cosas que yo necesitaba. Acabaré dentro de unos cuantos minutos. Luego podemos hablar.

—Doctora, esta clínica —la voz de él se volvió tan fría como el acero—… está…cerrada. Clausurada. Acabada. ¿No lo entiende usted?

—Yo tengo un paciente. Eso significa que la clínica está abierta, y se quedará así hasta que yo me reúna con toda la mesa directiva. Ahora, tome asiento. Estaré con usted muy pronto.

Ella cerró la puerta tras ella firmemente y se apoyó contra la misma. No estaba segura de lo que estaba sucediendo, pero Javier Montoya era definitivamente el enemigo. Pensó que recordaba que también era el alcalde de Río Verde al mismo tiempo que era presidente del consejo de la clínica, pero, ¿cómo podría tener un cargo público teniendo tan poco interés en la salud pública?

No tenía sentido, y Bel estaba enojándose.

Después de un momento, regresó a enseñarle a María como convencer a la bebita para que tomara su medicina.

—Y hay que darle toda la dosis. Si no se lo da todo, la infección puede volver, y sería aún más resistente.

—Todavía se ve tan enferma, doctora —dijo María, con la preocupación de madre llenando su tono de voz.

—Alguien viene de la farmacia con más medicina y líquidos. Ya verá que se pondrá muy bien dentro de una hora.

Unos momentos después, Javier apareció en la umbral de la puerta con una bolsa de papel en la mano.

—Ben me mandó con esto.

Bel le arrebató la bolsa y vio el contenido. Satisfecha de que todo lo que había ordenado estaba ahí, con agilidad le colocó el aparato intravenoso a la bebita. Laura logró llorar al ser picada por la aguja, pero estaba demasiado débil para seguir. Bel le administró también una dosis de Tylenol, diciéndole a María que se quedara con la niña.

—Usted, señor Montoya, puede acompañarme.

Lo condujo hacia la oficina del doctor Rodríguez. Era su oficina ahora. Sentándose tras su gran escritorio de caoba, trató de imaginarse cómo el doctor habría manejado situaciones tan difíciles durante su carrera de cuarenta años. Por alguna razón, ella dudaba mucho que jamás se hubiera enfrentado con algo como esto.

Hizo un ademán para que Javier se sentara, y él puso la silla de respaldo recto hacia un lado del escritorio. Obviamente, también conocía las posturas de poder.

—Doctora, siento mucho que no hayamos podido localizarla para decirle que no viniera. La muerte del doctor Rodríguez cambia todo, y el pueblo ya no tendrá necesidad de sus servicios.

—Los necesitaban ustedes hoy por la tarde —dijo marcadamente Bel—. O por lo menos Laura

Gutiérrez los necesitaba. Ella pudo haber sufrido convulsiones, y hasta daño cerebral, por la fiebre tan alta. Es una infamia de parte de su mesa directiva tomar riesgos con la salud de este pueblo.

—Y es una infamia de su parte ejercer en Texas sin licencia y sin seguro —replicó Javier.

—Yo no pienso en esas cosas cuando alguien está enfermo. Para eso existe su mesa directiva, para preocuparse por las idioteces sin importancia mientras yo salvo vidas.

Ella tamborileó los dedos sobre la mesa cuatro veces en sucesión rápida.

—Dígales a sus obreros que quiten las hojas de triplay. La clínica está abierta. Y luego llame a su mesa directiva, porque tenemos que renegociar mi contrato. Yo esperaba trabajar con el doctor Rodríguez. Ahora que tengo que administrar esta clínica sola, habrá que hacer algunos cambios.

—Nadie dijo que usted iba a administrar el lugar —dijo Javier, con voz grave y cortante.

—No veo a nadie más calificado para hacerlo —señaló Bel—. Del Río está a ochenta y cinco kilómetros. ¿Usted quiere aceptar la responsabilidad por la gente enferma que tendrá que manejar tan lejos? ¿Si es que tienen coche?

—La vamos a compensar. Vamos a pagar sus gastos de viaje hacia acá y de regreso a donde debe estar.

¿No era típico de un hombre? Pensó ella enojada. Siempre reduciendo todo a dinero.

—Ya basta, señor Montoya. Yo no sé por qué se ha convertido en un asunto tan personal por parte de usted, pero quiero manejar este asunto con toda la mesa directiva. Puedo verlos hoy por la noche o a primera hora mañana. Pero la clínica abre a las nueve, así que prográmelo de acuerdo con eso.

Ella se puso de pie y lo escoltó hacia la recepción.

—Lo llamaré más tarde. Y señor Hernández —agregó—, por favor quiten la madera. Si no lo hace, voy a llamar a la policía.

¡Carajo! pensó Javier. Había perdido esa asalto por completo. Había cometido un error clásico; subestimar su opositora. A la doctora Isabel Sánchez le corría agua helada por las venas. Jamás había conocido a una mujer tan fría y calculadora. Aún cuando estaba furiosa, se controlaba perfectamente. ¿Cómo podría una mujer como ella compadecerse de sus pacientes? La respuesta era que no lo haría. Lo cual indicaba que la mesa directiva tenía que buscar la manera de mandarla de regreso y traer a uno de los suyos en su lugar.

Muy guapa cuando está enojada, ¿no? —dijo Ben Hernández, y luego más seriamente—, ¿quiere que quitemos las hojas de triplay?

Javier asintió bruscamente con la cabeza, y se desplomó sobre uno de los duros bancos de madera para reflexionar. Ben tenía razón; Isabel Sánchez era muy guapa, de tipo más bien anglo, se admitió a sí mismo. Era delgada, de aproximadamente un metro setenta, con tez clara y con una amplia cabellera color café con destellos color miel. Ojos avellana, los cuales brillaban cuando estaba enojada. Pero los ojos de él estaban igual de enojados.

La joven doctora ni siquiera llevaba medio día en el pueblo y ya se había pasado de la raya. Peligrosamente. Allanamiento. Ejerciendo medicina sin licencia, sin seguro, contra los deseos directos de su mesa directiva. Todavía estaba ahí, haciendo quien sabe que a su paciente.

Ben y Julio salieron a destornillar el triplay, y se oyó el zumbido del taladro. La clausura de la clínica había sido una idea atrevida, más simbólica que práctica. Pero con la muerte del doctor Rodríguez, no había posibilidad alguna de que esta joven doctora apenas egresada de la facultad de medicina, una mujer anglosajona a pesar de su apellido, pudiera tomar su lugar.

Y la mesa directiva estaría de acuerdo con él. De éso estaba seguro. Isabel Sánchez no tenía lugar en Río Verde, y de ninguna manera ejerciendo a solas. Nada más era cuestión de buscar los términos apropiados para convencerla de largarse.

Lo que debería hacer en ese momento era juntar a la mesa directiva para ponerlos al tanto antes de que se enteraran del incidente de hoy por boca de alguien más.

Se levantó del banco y caminó hacia la calle, donde preguntó a los hombres su versión de las acciones de la doctora. Al escuchar lo suficiente, les dijo que volvieran a cargar el triplay en la camioneta y que lo llevaran a su casa.

Lo que vio a continuación lo impactó como si alguien le hubiera pegado en el estómago. María Gutiérrez y su bebita salieron de la clínica. Isabel no pudo haberlo sabido, pero su primera clienta era la mujer más chismosa de todo el pueblo de Río Verde. Antes de terminar el día, se habría corrido la voz sobre la llegada de la doctora; él tendría que trabajar rápido para acabar con ella.

Pero sí acabaría con ella.

¡Qué día! Bel jamás habría pensado que el allanamiento fuera parte de las responsabilidades de un médico.

Pero había valido la pena. María había apreciado mucho su ayuda, y a Bel le había hecho sentirse increíblemente orgullosa y protectora simplemente ver a la madre con su hija, alerta de nuevo después de haberle bajado la fiebre y darle líquidos. Era su vocación, para la que se había entrenado durante casi una docena de años. Curar. Ayudar.

Nadie la iba a hacer cejar en su propósito sin que ella luchara. Especialmente no Javier Montoya, que tenía cara de dios y comportamiento de un diablo.

Ella se quedó en la clínica durante aproximadamente una hora después de que María se hubiera retirado, haciendo anotaciones en el expediente que había encontrado de la bebé. Y cuando estuvo lista para retirarse, notó con triste satisfacción que habían quitado el triplay de todas las ventanas. Con excepción de una tirita puesta sobre el agujero que ella había hecho para entrar.

Con la muerte del doctor Rodríguez, ella jamás se atrevería a imponerle su presencia a su viuda. Cerrando la clínica lo mejor que pudo, se encaminó hacia su coche, y empezó a buscar un motel.

El pueblo de Río Verde era pequeño y compacto, pero bonito, con mucha arquitectura colonial y construcciones de ladrillo, completamente diferente a los rascacielos de acero y vidrio que habían abundado durante la juventud de Bel. Al manejar camino al centro del pueblo, pudo divisar el zócalo del pueblo, donde había una gran fuente salpicando agua y las veredas se cruzaban desde cada esquina, la gente caminando y platicando. Desde este punto de vista era encantador, contrastando fuertemente con el encuentro tan amargo que había experimentado con algunos de los pueblerinos aquella tarde.

En las afueras del pueblo, Bel encontró el Motel Río Verde y se registró. Ordenó unos tacos del restaurante al lado del motel y los devoró. Los eventos del día, aparte de la tensión de la última semana, la habían dejado hambrienta, y si tenía que enfrentarse con la mesa directiva de la clínica en la noche, necesitaría alimento para la ordalia.

Al bañarse, se le ocurrió una idea diabólica. Tomó extremo cuidado con su peinado y maquillaje, luego de escoger un vestido color azul marino hecho a la medida, medias y zapatos de vestir. Y sobre el vestido, se puso una bata de laboratorio limpia y recién planchada. Le convenía llegar uniformada a enfrentarse con la mesa directiva.

El encargado del motel le dibujó un mapa de las principales calles residenciales, y Bel se la llevó al coche. No iba a dejar que Javier Montoya se le escapara con una simple llamada telefónica. Decidió presentarse en su casa. Era más impactante así, aprovechando la ventaja de la sorpresa.

Y necesitaba cualquier ventaja que pudiera tener.

La casa de los Montoya le fue fácil de encontrar, a unas cuantas cuadras del lado norte del Paseo de la Plaza. Bel se estacionó frente a Paloma #727 y estudió la casa de su adversario. Era una casa de un sólo piso de madera y ladrillo, grandes ventanas y una bandera de los Jaguares de Río Verde colgada sobre la veranda delantera. Había una cochera hacia la parte trasera, con una escalera metálica que daba a una oficina o departamento. Sobre la entrada había una lustrosa camioneta roja, cargada con hojas de triplay.

Respirando profundamente, Bel se bajó del coche y caminó en dirección de la puerta principal. Después de alisar las arrugas imaginarias de su vestido, tocó el timbre. Y esperó.

—¿En qué puedo servirle? —preguntó la joven mujer que contestó la puerta.

Los modales corteses aunque aburridos de la adolescente contrastaban con su aspecto físico que mostraba una actitud rebelde. Esta joven se veía fuera de lugar en Río Verde, Texas. Dallas, quizás, o mejor aun Nueva York, en la portada de alguna revista popular de modas.

La chica portaba tres aretes en un oído, cuatro en el otro, zapatos gruesos de plataforma, pantalón de mezclilla de pierna ancha y camiseta apretada color verde chillante que resaltaba todos los atributos de la muchacha a lo máximo. Su cara no era bonita de modo tradicional, pero era interesante, con una boca amplia y generosa, grandes ojos oscuros, y un peinado asimétrico y con piquitos que dejaba un mechón de cabello color azabache cubriendo sólo la mitad de su frente.

—Estoy buscando a Javier Montoya —dijo Bel—. Soy la doctora Sánchez, y necesito hablar con él.

—¿Usted es la nueva doctora? —dijo la chica, abriendo los ojos con asombro. Sacudió la cabeza, y algunos de sus aretes más largos tintinearon suavemente—. Lástima de lo del doctor Rodríguez. Le va a tocar un trabajito de locos.

Abrió un poco más la puerta, sonriendo traviesamente.

—Aún no llega mi papá. ¿No gusta pasar a esperarlo?

—Gracias. Lo haré —Bel pasó por la entrada, asombrada por lo fácil que había sido ésto. En una ciudad, la puerta se habría abierto con cadena, si es que la abrieran. Aquí la estaban conduciendo hacia una cómoda sala, y la hija de su presa, cuyo nombre era Lidia, había ido a la cocina para traerle una Coca.

Bel estudió el cuarto durante un momento. Las paredes eran verdes en tono de salvia, y todas las obras de arte que las adornaban tenían temas mexicanos; una litografía enmarcada de una obra de Rivera, algunas pinturas de pájaros de colores vivos sobre corteza de árbol, una pequeña Virgen de Guadalupe. El librero contenía un surtido de volúmenes en inglés y en español: textos, novelas y poesía.

Lidia reapareció un momento después con los refrescos y un plato de ricas galletas en forma de abanico.

—Me encantan éstas galletas —dijo Lidia al colocar el plato sobre la mesa de centro, agarró tres y sentó en el sillón—. Pero dice mi papá que sólo son para los invitados. Qué suerte que usted me haya visitado, ¿no cree?

—Quizás —sonrió Bel secamente, sentándose al lado de Lidia sobre el sofá—. Veremos lo que opina tu papá.

Lidia puso los ojos en blanco y cambió el tema.

—¿Por qué decidió venir a Río Verde?

—Cuando terminé mi residencia, me quedé con varios préstamos estudiantiles. Y el Servicio de Salud ofrece todos estos trabajos alrededor del país para doctores, y te ayudan a pagar los préstamos. Me gusta la salud pública, me gusta la medicina familiar, y me cayó bien el doctor Rodríguez. Parecía un buen lugar.

—Y ahora que murió el doctor y todo cambió —la chica tomó otra galleta y vio a Bel con compasión—. Comprendo exactamente como se siente. Yo tampoco quiero quedarme aquí. En cuanto me gradue, jamás voy a volver.

—Ay, ¡no! —dijo Bel—. Yo no quiero irme. Pero hay algunas personas que quieren que me vaya, incluyendo, al parecer, tu padre. Es de eso que tenemos que hablar él y yo.

Parecía que Lidia estaba a punto de decir algo, pero se detuvo.

—¿Cómo es eso de ser doctora?

—Me gusta. Me gusta ayudar a la gente, diagnosticando sus enfermedades. Tienes que estar dispuesta a tomar el mando, sin embargo. A veces tienes que pisotear a alquien en el proceso.

—Me parece muy interesante —dijo Lidia, sonriendo ampliamente.

—¿Te gusta la idea de ejercer medicina?

—Sí —se quedó pensativa un momento—. Quiero hacer algo diferente, algo divertido y útil. Pero las mujeres de por aquí... bueno, todas o son maestras o trabajan en el supermercado. Usted es la primera realmente... bueno... usted sabe... —no terminó la frase, viendo a Bel con franca admiración.

Su admiración fue un consuelo, pensó Bel, y la chica le agradaba. Pensándolo bien, no sabía como podía ser la hija de Javier Montoya. Normalmente de tal palo tal astilla, pensó. Pero quizás fuera más parecida a su madre.

—El futuro es tuyo, Lidia —dijo Bel para animarla—. Puedes hacer y ser lo que tú quieras.

—Trate de hacerle entender éso a mi papá.

—¿Cómo dices?

—Mi papá está a favor de que vaya yo a la universidad. Pero para ser maestra o enfermera. Algo que compagina con la "vida familiar." Como si quisiera yo casarme a los dieciocho años y tener un hijo como lo hizo él.

—Pues, no —concedió Bel, guardando esa pizca de información, y ahora más curiosa respecto a la madre de la chica—. Yo tengo casi treinta años, y aún no encuentro el hombre de mis sueños. Pero la medicina compagina perfectamente con la vida familiar. Conozco a muchas mujeres que ejercen medio tiempo, o son profesoras o trabajan en la investigación médica. Es como cualquiera otra profesión, si eres flexible.

—Sí, me supongo que sí —Lidia tomó un trago de su vaso y volteó hacia Bel con ojos brillosos—. Tengo una idea. ¿Podría ser su 'sombra' durante un rato? Una vez que esté establecida en la clínica.

—¿Ser mi sombra?

—Usted sabe, observarla, ayudarle. Soy bastante buena en el laboratorio de química, y conozco el teclado. ¿Podría ver lo que hace? ¿Ver si me gusta a mí también?

Bel lo consideró. Podría meterse en mayores problemas al hacerse amiga de la hija de Javier. Pero la chica le caía bien, y le gustaba su energía y ambición. Y una chica en Río Verde no podría tener muchos modelos ejemplares.

—No podrías hablar sobre quienes veas o lo que veas —dijo Bel, lentamente—. Una clínica tiene que conservar la confidencialidad.

—Lo sé.

—¿Y tus padres?

—Mi madre… no está —Lidia se encogió de hombros, y a Bel le llegó repentinamente una clara imagen de lo que sería la vida en esta casa. Falta de madre, un padre sobreprotector y controlador, y una hija rebelde. Se imaginaba que habrían fuegos pirotécnicos todas las noches.

—No le gustará mucho a mi padre —continuó Lidia—, pero jamás le gusta nada de lo que hago yo. Pero siempre y cuando mantenga mis buenas calificaciones, no me detendrá.

Bel no estaba del todo segura, pero dejaría que se arreglaran entre padre e hija. No sería la primera vez, de eso estaba segura. Pero si Lidia quería ser voluntaria en la clínica, Bel no se lo impediría. Ella iba a necesitar de todos los amigos y aliados que pudiera conseguir, aunque fueran adolescentes.

—Entonces, ¿es un trato? —Lidia extendió la mano y Bel la apretó—. Ahora nada más nos falta convencer a papá que no la corra.

—Es precisamente la idea —dijo Bel secamente.

—Bueno, se le acaba de presentar la oportunidad —Lidia habló unos segundos antes de que se escuchara una llave en la cerradura de la puerta. Se abrió la puerta, y entró Javier.

—Lidia —llamó, sin fijarse siquiera en la presencia de las dos mujeres en el próximo cuarto—. Nada más vine para recoger algunos papeles. Tengo que volver a salir. Se va a reunir la mesa directiva de la clínica hoy en la noche. Tenemos que ver qué es lo que vamos a hacer con esta doctora Sánchez.

—Bueno, ¿no es conveniente éso? —dijo Bel dulcemente, pasando al recibidor—. La doctora Sánchez se encuentra aquí mismo. Iremos juntos.

CAPÍTULO DOS

—¿Qué diablos estas háciendo...? ¡Lidia! —gritó—. ¡Tú conoces las reglas sobre los extraños!

Lidia deambuló hacia el recibidor y se apoyó contra el umbral de la puerta.

—Vamos, ¡Papá! Me dijo quien era. Su nombre está bordado sobre su pecho, por el amor de Dios. Yo sabía este asunto del médico. Nada más le dije que te podía esperar.

Javier tenía ganas de golpear algo. Le habían ganado de nuevo la ventaja. Jamás había considerado la posibilidad de que pudiera estarle esperando... ni tampoco que su propia hija pudiera convertirse inocentemente en cómplice.

No había duda. Isabel Sánchez tenía agallas, y muchas. También era impredecible y apasionada, y si no se cuidaba, podría convencer a la mesa directiva que estaba en lo justo.

No había manera de evitar llevarla a la junta de hoy. Si no la llevaba, nada más lo seguiría, y sería aún peor si llegaba de improviso que si llegaba acompañada por él. Tendría que seguir con una junta ejecutiva de la mesa después de la ordinaria, y con una gran cantidad de labia persuasiva, quizás pudiera aún sellar los términos de su terminación de empleo.

O así esperaba.

—Nos iremos en cuanto encuentre lo que vine a recoger —dijo bruscamente a Isabel—. Espéreme aquí.

—No pensaba irme —replicó ella, con una media sonrisa en la boca. Una boca muy atractiva.

¿Su boca? ¿Qué hacía él observando su boca? Aparte del hecho de que cada vez que ella la abría, a él no le gustaba lo que escuchaba. ¿Pero atractiva? Húmeda, ¿con alguna especie de brillo color frambuesa? No era lo que debería estar viendo.

Caminó como felino por el pasillo, furioso con él mismo. No tenía ningún interés en nada referente a Isabel Sánchez, pero especialmente ningún interés en su boca. Lo único que quería de ella era su ausencia.

En su oficina, recogió un portafolios de piel labrada y buscó una corbata. Aun conociendo a sus colegas de la mesa directiva durante toda la vida, a veces lo único que recordaban de él era el adolescente loco de diecisiete años.

Esperaba que hoy no fuera uno de esas veces.

Encontró una corbata colocada cuidadosamente sobre el respaldo de su sillón de lectura, subió el cuello de su camisa, y se la puso. Era bonita la corbata, con un diseño geométrico azteca que hacía juego con el diseño de su portafolios. Le dio un nuevo sentido de lo que quería, y de su propia esencia.

Que era, simplemente, la auto-suficiencia. Autodeterminación. Orgullo en sus raíces. Un sentido de historia. Cosas que peligraban ante la omnipresencia de la cultura angla.

La cual, después de todo, era precisamente lo que había seducido a Linda a abandonarlo.

Lo que más temía de Isabel Sánchez y su amado Río Verde.

Recogió el portafolios, asegurándose de que contenía los papeles que quería, y caminó de regreso al recibidor.

—Vámonos —dijo a Isabel—. Yo manejaré. Y Lidia —agregó bruscamente—, ¿ya terminaste tu tarea?

—Sí —contestó igual de bruscamente.

—No estés ocupando el teléfono toda la noche. Y sigue leyendo el próximo cuento de Rulfo. Hablaremos de eso mañana.

—Sí, seguro. ¿Llegarás tarde?

—Quizás. Acuéstate antes de las once.

—Me dio gusto conocerla —dijo Lidia sinceramente a Bel.

—Espero volverte a ver —sonrió Bel, y Javier la tomó por el codo y la sacó apresuradamente por la puerta.

—Me cae bien su hija —dijo Bel al deslizarse hacia el lado del pasajero de la camioneta—. Es amable e inteligente. Debe de ser como su madre.

Javier arrancó el motor y sacó la camioneta en reversa, dejando chillar las llantas.

—De muchos modos —dijo seriamente.

—Así que pensaba invitarme a la junta de la noche, ¿o simplemente iba a discutir lo mío sin que pudiera yo defenderme? —continuó Bel. Su tono era conversacional, pero había un tonito de enojo en sus palabras.

—Podemos juntarnos cuando queramos. No necesitamos su permiso, ni su presencia.

—Pero yo soy oficial. O debo de serlo. El doctor Rodríguez lo era, y ahora que no está él, yo soy la sucesora lógica. Alguien tiene que aconsejarles sobre asuntos de salud pública. No estaba usted tomando decisiones muy adecuadas hoy por la tarde.

—Usted no entiende, doctora Sánchez, ¿verdad? Los términos y condiciones de su empleo han cambiado. Ya no va a trabajar aquí.

Mientras decía las palabras, estacionó la camioneta en un lugar en la orilla del zócalo del pueblo. Brincó del coche, sacó su portafolios de la parte trasera, y cerró su puerta con llave. Bel esperó un momento, luego, segura que no iba a ayudarla a bajar, abrió su propia puerta y bajó de la manera más decorosa que pudo dado el vestido que portaba.

Atravesaron la plaza hasta el otro extremo, donde un sólo edificio ocupaba todo lo largo de la cuadra. Construido totalmente de ladrillos rojos, había tiendas a cada lado de un par de grandes puertas talladas en madera en el centro. Toda la acera delantera estaba techada y entre sus arcos estaba iluminada con linternas de carruaje. Una pequeña placa de bronce a la derecha de la puerta decía "Edificio Municipal."

Javier abrió la puerta y dejó que Isabel pasara antes de seguirla para adentro. La condujo apresuradamente frente a las oficinas de la ciudad, dejando atrás una puerta con su propio nombre en una placa, y subiendo una escalera hacia un sala de conferencias.

Primero había pensado dejarla esperando en el pasillo mientras advertía a la mesa directiva que estaba ahí, pero al pensarlo bien, decidió entrar con ella. Quería saber exactamente lo que iba a decir, y como reaccionaban ante ella.

La llevó al cuarto antiguo, con sus ventanas altas y esmeriladas y ruidoso ventilador colgando del techo. La mesa estaba ya reunida alrededor de la larga mesa: Eduardo González de la ferretería, Julia García de la farmacia y su padre, el anciano pero todavía alerta don Ulises, Miguel Fernández, un ranchero de la localidad, e Hilarión Hidalgo, un abogado medio jubilado con fama de despiadado.

—Muy buenas —dijo al entrar, tomando su lugar a la cabeza de la mesa y haciendo breves presentaciones—. Gracias por venir con tan poco aviso. Como saben ustedes, la muerte del doctor Rodríguez nos ha dejado en un aprieto. La doctora Sánchez, su nueva asistente, ya estaba en camino, y no pudimos localizarla para pedirle que no viniera hasta que viéramos que se iba a hacer. Ahora se encuentra aquí —dijo, haciendo un movimiento de la mano hacia ella y Bel asintió de nuevo con la cabeza—, y ha empezado a dar consulta con los pacientes, y tenemos que decidir como vamos a manejar todo ésto.

—¿Tratando pacientes —Hidalgo frunció la frente—. ¿Arregló el doctor Rodríguez lo de su licencia antes de morir? ¿Y qué me dicen del seguro? No puede usted hacer eso, jovencita —dijo, echándola una mirada odiosa—. Es precisamente por lo que clausuramos la clínica. Necesitamos decidir muchos asuntos primero.

—Una bebé estaba muy enferma —dijo Bel firmemente, parándose al lado de Javier—, y no pude rechazarla. Soy médico. Presté un juramento para proteger la vida, no ignorarla. El doctor Rodríguez habría tratado a esa bebita, y es lo que hice yo también.

—Yo sabía lo que estaba haciendo —interrumpió don Ulises García, el anciano farmacéutico con gruesos lentes negros—. Me llamó para pedir unas provisiones, y sabe de que habla. Así que le mandé lo que necesitaba.

—Papá, ¡no me digas que hiciste eso! —exclamó Julia, quien era la actual dueña de la farmacia familiar—. ¡Tú sabes que ya no debes suministrar nada en la farmacia! ¡Tienes la vista demasiado débil!

—Fue exactamente lo que pedí —interrumpió Bel—. Y gracias de nuevo, señor García. La bebita ya esta bien, sin convulsiones, sin complicaciones.

—El punto es —continuó Javier—, que tenemos que decidir que vamos a hacer con el contrato de la doctora Sánchez. Quise que viniera para que la conocieran, y luego tenemos que decidir que hacer.

—Yo seré la primera en admitir que las condiciones no son las mismas que cuando me contrataron —interrumpió Bel—. Con gusto yo esperaba trabajar con el doctor Rodríguez, como parte de este empleo. De manera muy genuina me simpatizaba el doctor, y lo respetaba.

—Pero ya está ausente, y este pueblo que él amaba tanto no tiene médico. Con la excepción de su servidora. Ahora algunos de ustedes no quieren que me quede, y no estoy segura si es porque soy joven, o porque soy mujer, o porque no soy de aquí. O quizás por las tres razones. Pero yo se lo que hago, y tengo un contrato, y, y... comprármelo les va a costar.

—¿Qué es lo que desea? —preguntó Hidalgo.

Bel lo pensó durante un momento, repentinamente dándose cuenta que realmente existía la posibilidad de que la fueran a correr. Sería malo para Río Verde, y también malo para ella. Ella no tenía siquiera otro prospecto, y sus préstamos estudiantiles la estaban aplastando.

Sin embargo, si fuera por un precio suficientemente alto...

—Mi sueldo completo de los dos años y además todo el dinero para los pagos de los préstamos que me habría dado el Servicio Nacional de Salud.

Hidalgo apuntó unos números sobre un papel y silbó.

—Así es, señor Hidalgo. Son aproximadamente $170,000. Y éso es antes de reclutar a otro médico y pagar su sueldo también. Además de dejar quien sabe cuanto tiempo a este pueblo sin médico alguno.

Ella fijó su mirada sobre el anciano farmacista.

—Señor García, si usted se enferma alguna noche, quiere manejar 120 kilómetros, ¿o quiere tener una clínica aquí mismo? Usted, ¿Sr. Hidalgo? —sus ojos barrieron el cuarto, quemando con su súplica de que usaran el sentido común.

—Y, qué llegará a suceder con todas las familias con niños chiquitos, ¿como la bebé que traté hoy en la tarde? Ustedes tienen una gran responsabilidad ante este pueblo, y tienen que considerar como cumplirla de la mejor manera.

Ella dio la vuelta para retirarse, y luego disparó sus últimas palabras:

—Si deciden no pagarme lo apropiado, entonces podemos discutir los términos de un nuevo contrato. Buenas noches.

Al cerrar la puerta tras de ella, su espalda erguida, cabeza alta, el cuarto explotó con voces. El fuerte debate se lanzaba de lado a lado en un caos apenas controlado.

—Tiene razón. No podemos mantener cerrada la clínica mucho tiempo.

—Es una insubordinada. Miren lo que hizo en la clínica.

—Es demasiado joven. No puede sola con el paquete.

—Lo hacía el doctor Rodríguez.

—El doc nos conocía, sabía quienes realmente estaban enfermos y quienes nada más querían atención. Ella no sabe nada de nosotros.

—Alicia si sabe.

—No pueden esperar que Alicia tome el mando. Es enfermera de medio tiempo.

—Es peligroso quedarnos sin médico.

—Pero ésta es rebelde. No escucha.

—Querrá un aumento de sueldo.

—Más barato que comprarle su contrato. Realmente no nos alcanza para hacer éso.

—Todo se trata de crecimiento económico. No podemos atraer nuevas industrias sin ofrecer servicios médicos. De hecho, todavía necesitamos otro médico.

—¡Nos tardamos un año para conseguirla a ella!

—Entonces, ¡Empiecen a buscar ahora mismo! Y mientras tanto, la conservaremos.

Javier dejó que la mesa directiva discutieran entre ellos durante los próximos cinco minutos. Justo antes de que Miguel y Julia llegaran a golpes, golpeó la mesa con su mazo para imponer el orden. Era hora de votar.

—Tenemos que votar —dijo—. Olviden que nos quiere obligar a comprar su contrato. Es una simple maña para abrir la negociación. La primera pregunta es: ¿Nos quedamos con ella, o la corremos?

—Has estado muy callado hoy, Javier —dijo Miguel—. ¿Qué opinas tú?

Javier organizó sus ideas cuidadosamente. Había perdido la ventaja durante todo el día, y por fin tenía oportunidad para recobrarla.

—Jamás he estado a favor de esta doctora en particular. Todos ustedes lo saben. Es todo lo que ya se mencionó: joven, inexperta, poco familiar con… esta región del país. Ni siquiera nos conoce como nos conocía el doc, y su falta de experiencia… pues todos saben de que manera tan espectacular ignoró hoy nuestros deseos, rompiendo la puerta de la clínica para tratar a aquel bebé. No importa que se tratara de un caso sencillo. Todavía no tiene su licencia, tampoco seguro, y nos podría haber metido en un problema muy grave.

—Ahora bien, todos confiábamos en el doc. Y él pensaba que podía manejar a esta chica. Pero él ya no está entre nosotros, y somos nosotros mismos que tenemos que manejarla. Y dudo que podamos hacerlo.

Vio a su derredor, notando las frentes y entrecejos fruncidos, la evidencia de seria consideración.

—Javier —dijo Julia finalmente—, nadie aprueba lo que ella hizo hoy. Por lo menos no la manera en que lo hizo. Pero sigue siendo el único médico que tenemos. No podríamos… ¿reprenderla? ¿Ponerla en período probatorio?

Hubo un momento de silencio y luego Miguel agregó:

—Me duele estar de acuerdo con lo que dice Julia, pero tiene sentido. Podríamos hacer una prueba de tres meses. Y decidir entonces si queremos que se quede. Y mientras tanto, seguir reclutando a otro médico.

—Tendrías que supervisar de cerca su trabajo, Javier —dijo Hidalgo—. Tenemos que tener motivos para despedirla. Pero podríamos lograrlo.

—No podría volver a hacer ningún drama como el de hoy —dijo Julia secamente—. Y su contrato seguiría vigente durante el período de prueba. No podemos premiarle su comportamiento. Aunque haya sido para curar a un bebé.

Hubo un momento de silencio, y Javier supo que tenía que llamarlo a voto.

—La primera votación es sencilla. Quedarnos con ella, ¿o soltarla? Si el voto es de despedirla —continuó—, entonces discutiremos los términos de compensación. Si votamos por quedarnos con ella, decidiremos si la reprendemos, ponerla en período de prueba o negociar un nuevo contrato. ¿Están listos todos? Julia, ¿contarás los votos?

—¿Por qué siempre ha de ser secretaria la mujer? —se quejó en broma, pero pasó las hojas de papel y lápices y esperó mientras consideraban como votar.

Javier marcó su boleta rápidamente y la dobló, pero se detuvo un momento, pensando.

Él había escuchado todos los argumentos. De hecho, él mismo los había hecho en un momento u otro. Y no le gustaba para nada la actitud de Isabel Sánchez, su altanería, ni su absoluta falta de respeto hacia la autoridad. De muchas maneras ella representaba un peligro para Río Verde y todo lo que ejemplificaba el pueblo. Todo lo que ejemplificaba él mismo.

Y había opciones. Opciones caras, pero opciones. Una vez, cuando el doc había llevado su esposa a Europa durante seis semanas, habían contratado a un médico de alguna de esas agencias temporales. Podrían hacer lo mismo de nuevo.

Isabel Sánchez iba a requerir mucha supervisión. Y como director de la clínica, él sería el que tendría que lidiar con ella. Todo el tiempo. Jalándole las riendas. Guiándola hacia la dirección más apropiada. Manteniendo bajos los costos.

—¿Javier? —dijo Julia—. Estamos esperándote.

Escribió otro voto y lo dobló también. Sostuvo uno en cada mano, decidiendo. Su primera lealtad era al pueblo al que ayudaba a gobernar. Su interés tenía que ser en sus gobernados.

Era cuestión de principios sobre conveniencia. Empujó su votación a lo largo de la mesa hacia Julia.

Durante unos segundos hubo silencio mientras Julia abría y contaba los votos. Levantó la vista, aliviada.

—Cuatro contra uno. Se queda.

Javier se encogió un poco, pero sólo un poco. Había sentido el cambio en el momento que Julia había sugerido un período probatorio. Su voto no había importado, después de todo. Pero era la naturaleza de la política, se dijo. El arte del acuerdo.

Tres meses de Isabel Sánchez y su habilidad inexplicable de colmarle la paciencia. La había conocido apenas durante un sólo día y ya estaba escéptico en cuanto al día siguiente... y todos los demás días.

—Está bien —dijo—. Próxima pregunta. ¿Período probatorio o contrato completo?

Todos se vieron entre sí. Hidalgo dijo:

—Creo que todos estamos de acuerdo. Reprendemos y veremos en tres meses.

—Todos comprendemos tus dudas, Javier —dijo Miguel—. A nadie le importa más este pueblo que a ti. Con gusto votaré para sacarla en diciembre, y puedes encontrar las causas para hacerlo.

Hubo ecos de aprobación alrededor de la mesa y hasta don Ulises se dejó convencer. Y Javier tenía que estar satisfecho con éso.

Salió para traerla a enfrentarse con la mesa directiva.

—¿Qué? —exclamó ella cuando Javier explicó su decisión—. ¿Que estoy a prueba? ¿Tengo que rendirle cuentas respecto a mis decisiones médicas? ¿Por haber hecho mi trabajo?

—Si quiere usted verlo así. Preferimos considerarlo como darle una segunda oportunidad. Pero todo se reduce al hecho de que respetaremos su contrato sólo si está de acuerdo en estar a prueba durante tres meses. Tómelo o déjelo.

—Creo que gozó mucho al decir éso.

Javier sonrió levemente.

—Le sobra tiempo para pensarlo de aquí a que tenga su licencia en la mano. Tome su tiempo para hacer inventario en la clínica, conozca a Alicia, ese tipo de cosas. Decida usted si realmente quiere estar aquí sin el doc.

—Me quedo —dijo ella con ligereza—. De hecho, empezaré a buscar un departamento mañana mismo —volteó hacia el resto de la mesa directiva, esperando que alguno de ellos quisiera ayudarla—. ¿Alguna sugerencia? No puedo pagar eternamente el Motel Río Verde.

—No hay mucho aquí en el centro —dijo Hidalgo, viendo astutamente a Javier—. Los jóvenes normalmente viven en casa hasta que se casen y luego compran sus casas.

—Y, ¿tú qué, Javier? —agregó don Ulises—. Todavía tienes ese departamento sobre la cochera, ¿no? Donde vivía tu mamá hasta que murió.

—Tienes razón, papá —dijo Julia—. Antes ibas ahí para cenar a veces. Está mucho mejor que los lugares al este, o los que están en el Paseo Río Verde.

—Tiene entrada privada —dijo don Ulises, con conocimiento—. Aire acondicionado. Eso ayuda mucho durante el verano y en otoño.

—Nunca he tenido ningún inquilino —dijo Javier, poniéndose tenso—. No creo que la doctora Sánchez quisiera...

Y Javier tampoco. La idea de trabajar con Isabel Sánchez era suficientemente desagradable, pero tenerla cerca de su casa al mismo tiempo era mucho más de lo que podría soportar.

Pero sería una manera de mantenerla supervisada, una manera más para estarla observando.

—¿Por qué no se lo enseñas hoy por la noche? —dijo Hidalgo—. Ella debería ver otros lados también, pero de hecho, sería el mejor lugar —dio un codazo a Javier—. Estando tan cerca facilitarán más aquellos análisis de presupuesto.

Con eso, se terminó la junta. Hubo muchas palmaditas sobre los hombros, entre los hombres, luego Julia alcanzó a Bel, y sin realmente tocar su cara, besó el aire cerca de cada mejilla. Susurro:

—Me da gusto que estés aquí. Juega acorde a las reglas y quédate un rato.

Y luego cada uno de los hombres tomaron la mano extendida de Isabel y la usaron para jalarla hacia ellos, ofreciéndole los mismos besos en el aire como lo había hecho Julia. Con el cuarto hombre, ella había ya aceptado el rito, aunque de verdad no lo comprendía. Por lo menos no lo sintió amenazante. Quizás fuera su manera de hacerla saber que había borrón y cuenta nueva durante los próximos tres meses. Por lo menos así esperaba.

Pero cuando le tocó a Javier su turno para despedirse, intercambiaron miradas incómodas y dejaron pasar el momento del beso. Algo le decía que no había borrón y cuenta nueva con Javier Montoya.

Juntaron sus pertenencias y se encaminaron hacia la camioneta de Javier, atravesaron la plaza. Él abrió el seguro de la puerta del lado de ella y la abrió para ella, una pequeña victoria, pensó Bel. Bueno, él había perdido hoy en la noche, también. Él había querido correrla, pero ella seguía ahí todavía.

Aunque fuera sólo durante tres meses. Lo cual, a pesar de su enojo para beneficio de la mesa directiva, era probablemente lo mejor que pudo haber esperado. Habría vuelto a hacer lo mismo por la pequeña Laura sin pensarlo dos veces. Había tenido toda la razón, pero supo desde el momento de romper el cristal de la puerta de la clínica, que a los de la mesa directiva no les iba a gustar.

Bueno, pues habían aclarado perfectamente el punto, y mañana estaría llamando a Austin a primera hora para ver donde estaba su licencia. No tenía intención de mantener cerrada a esa clínica.

Pero la aventura de hoy, y las consecuencias pagadas hoy en la noche, ya había pasado al olvido. Lo que importaba mañana era como iban a trabajar juntos Javier y ella. De alguna manera tendrían que hacerlo, o serían doce semanas muy duras y largas.

Lo vio de reojo. La expresión grave en sus facciones le decía que tampoco había solucionado ese problema.

Pero aun cuando estaba pensativo, se veía guapo. Ella no podía negarlo; sus facciones oscuras y ojos hundidos la intrigaban, hasta la incitaban. Pero las apariencias engañan, obviamente, porque su personalidad no encajaba en nada con su físico. Sin embargo, alguien en este pueblo tenía que apreciarlo. De no ser así, ¿cómo pudo ser electo como alcalde?

Quizás pudiera tratar de ver lo que veían los demás. Valía la pena por lo menos intentarlo.

—¿Tregua? —dijo en voz baja, cuando se acercaban a la Calle Paloma.

—¿Tregua? —repitió él, incrédulo.

Ella se encogió de hombros.

—Ya sabe, que tratemos de ser civilizados. No tenemos que ser amigos, pero si no trabajamos juntos, vamos a estar desdichados.

—Ya lo estoy.

—Pues, yo también, pero estoy dispuesta a intentar algo diferente. Usted podría tratar de ser algo flexible.

Estuvo pensativo durante un momento, al meter el coche por la entrada.

—¿Qué tenía en mente?

—¿Qué tal un nuevo comienzo? —extendió la mano—. Yo soy Isabel Sánchez. Soy la nueva doctora de la clínica.

—Javier Montoya. Su jefe.

—Dios, nunca descansa, ¿verdad? —bajó la mano enojada y lo miró despectivamente—. ¿Qué hay en mí que tanto le molesta? ¿A quién le recuerdo?

De repente lo sacudió un escalofrío. ¿Cómo lo supo? Sería ella tan perceptiva, ¿o sería tan transparente él?

Ninguna de las dos cosas, se dijo firmemente. Ella estaba metiendo aguja para sacar hilo, simple y sencillamente. Y él no le debía ninguna explicación sobre las razones de su desconfianza. Ya había dado suficientes motivos.

—Es tarde, doctora, y ha sido un día muy largo. Estoy seguro que se cruzarán nuestros caminos de nuevo mañana; vamos a ver como nos va entonces, ¿de acuerdo?

—No puede ser peor —Bel replicó bruscamente, bajando del coche y dando un portazo. Caminó a su coche, abrió la peurta, arrancó el motor y dejó que el vehículo se calentara algo antes de salir a toda velocidad por la calle de Javier.

Que cretino, pensó Bel furiosamente. Un cretino de primera clase. Ni siquiera ponía nada de su parte.

Manejó de vuelta por el centro, tomando el camino largo hacia el motel para poder calmarse. Ella y Javier simplemente sacaban lo peor el uno del otro. Cómo podía descubrir ella algo de sus propias raíces, ¿si tenía que pasar todo su tiempo peleando con Javier Montoya?

Era el verdadero propósito de su estancia ahí, después de todo. Había pasado toda la vida en el mundo del centro del país, un mundo que consistía en tonos de rosa y blanco. Un mundo en el que se movía fácil y confiadamente. Pero había otra parte de ella, también, una parte que no le pertenecía del todo, la parte de ella que era de su padre.

Ya no quedaba casi nadie de la familia Sánchez en México, nada más uno que otro primo de tercera generación. Y unas cuantas semanas en la tierra de Quetzalcóatl y Moctezuma no eran suficiente tiempo para ayudarla a reclamar lo que había estado fuera de su alcance desde la muerte de su padre.

Así que había decidido escoger la segunda opción. Había buscado un lugar donde podía usar su entrenamiento médico para ayudar a la gente, y al mismo tiempo, ir adaptándose a una comunidad que fuera diferente a lo que había sido su ambiente desde la infancia. Quizás, si se empapaba con el ambiente que por derecho era suyo, podría llegar a comprenderlo, y apoderarse de él.

Cuando había hablado con Antonio Rodríguez, ella había reconocido que andaba por buen camino. Él había comprendido lo que buscaba ella. En Río Verde, había prometido, ella podría lograr ser parte de algo que le había hecho falta al criarse en Ohio. Él la ayudaría.

Pero ahora no estaba él, y ¿cómo podía ella decirle a Javier Montoya lo que estaba buscando? Él jamás lo comprendería. Nada más se reiría de ella, lanzarle una que otra acusación, y luego hacer todo lo posible para que jamás se sintiera a gusto ahí. De hecho, ya lo estaba logrando.

Bueno, entonces ella tendría que buscar la manera de evitarlo. Después de todo, él no estaría en la clínica día y noche. A ella le sobrarían oportunidades para conocer a la gente, con todos sus valores y su cultura, sin él alrededor.

Y a fin de cuentas, quizás pudiera intentar ser amable con él. Matarlo con amabilidad. En el peor de los casos, no cambiaría nada entre ellos, y seguirían reaccionando con el calor del enojo y esa incomodidad áspera. Pero a lo mejor…

Ella no se engañaba en absoluto. En el mejor de los casos podrían llegar a tolerarse. Pero la tolerancia sería un gran paso hacia adelante después de hoy. Y quizás su hija pudiera ser la clave de todo. A Bel le agradaba Lidia. Mucho. Esperaba con ansiedad que trabajara con ella en la clínica.

Metió el coche al estacionamiento y apagó el motor. De repente se sintió muy cansada. Había sido un día muy largo, una serie de días muy largos, comenzando con el trastorno de dejar a su hogar y terminando con la censura de hoy en la noche. Quizás Javier tuviera la razón. Ella vería como seguían las cosas mañana.

La mañana siguiente, Bel se despertó asombrosamente refrescada. Alrededor de las seis y media de la mañana estaba en la recepción del motel, preguntando que cual sería la mejor ruta para ir a correr.

—Hay una vereda al lado del río —fue la contestación—. Los adolescentes la usan como lugar de reunión durante las noches, pero durante el día mucha gente frecuenta el lugar para caminar o correr. Saliendo del estacionamiento, hay que ir a su derecha, y bajar la loma. No hay pierde.

El dependiente del motel tenía razón. Bel encontró el río sin problema alguno, y después de estirarse durante varios minutos, comenzó a correr a paso tranquilo. El aire matutino era seco, ya bastante caluroso, y el cielo... el cielo estaba totalmente despejado a su derredor. Mirando hacia arriba, tuvo la sensación de perderse en el cielo.

Bueno, pues para éso había venido. Para perderse en algo diferente a todo lo que ella conocía. El cielo simplemente le recordó su misión.

Pasó al lado de algunos corredores, unos más grandes, pero en su mayoría, adolescentes. Era bueno, pensó con la parte del cerebro que pertenecía a la medicina. Entre más pronto desarrollaban la costumbre de hacer ejercicio de manera constante, mejor.

Corría a un paso tranquilo, planeando su día. Sería mejor que ayer, se prometió. Iría a buscar departamentos. A pesar del comentario de anoche, esta mañana se sentía optimista en cuanto a encontrar un lugar para vivir. Y no con Javier Montoya.

Frunció el entrecejo, y aceleró su paso. La mañana había sido tan agradable hasta que él se había metido entre sus pensamientos, con sus ojos fogosos y labia fácil. Era un nuevo día, se dijo ella firmemente. Si lograba verlo ese día, lo iba a matar con amabilidad.

Un minuto después, se le desvaneció su resolución. Corriendo por la vereda en sentido contrario estaba nada menos que Javier, y tras de él por lo menos seis adolescentes.

Él se veía aún mejor que ayer, con short de correr color verde con blanco, una camiseta que anunciaba los Jaguares de Río Verde, y un silbato de plata que brincaba sobre una cadena alrededor de su cuello. Sus piernas eran fuertes y sus brazos marcados por los músculos. Y aunque ni siquiera sudaba, su piel parecía brillar bajo el sol. Él era, pensó ella, el ejemplo perfecto de los beneficios del ejercicio.

—Buenos días —llamó ella, sin perder su paso. Javier y su pandilla pasaron al lado de ella, y Bel sintió un poco de alivio al ver que la ignoraba.

Hasta que escuchó el chiflido del silbato y la voz de Javier diciendo:

—Paso libre. ¡Nos vemos en cuarenta y cinco!

Lo sintió, más que verlo, separándose del grupo para seguirla. Se quedó atrás de ella durante varios cientos de metros, pero luego la alcanzó para aminorar su paso al mismo de ella.

Él la vio de arriba para abajo, haciéndola arrepentirse de repente de haber usado una camiseta tan entallada con su short ajustado y sostén de deporte. Se le marcaba cada línea y curva de su cuerpo con ese atuendo, y Javier era el último hombre de la tierra al que ella quisiera invitar a notarlo.

—Nada mal —la saludó él.

—¿Qué quiere decir con eso? —replicó bruscamente antes de poder detener las palabras.

—Buena forma, por supuesto —dijo él, acelerando el paso para pasarla, para luego voltear a correr para atrás a observarla—. Está marcando su propio paso. Es importante cuando no está acostumbrada a la ruta.

—¿Qué es lo que le califica como experto? —dijo ella, aunque de verdad reconocía que tenía razón. Su arrogancia la molestaba, independientemente de la manera en que la había... examinado. El hecho de que por primera aprobara algo que ella hiciera no le importaba.

—Es mi trabajo. Soy el entrenador de pista y campo en la preparatoria.

—Pensé que era el alcalde —replicó ella.

—Lo soy. Pero todavía no es trabajo de tiempo completa. Mi profesión es de maestro.

—Entonces, todos esos adolescentes que vi…

Él asintió con la cabeza, y luego volteó para correr a su lado de nuevo.

—Es mi equipo. Hacemos prácticas aún fuera de temporada.

—Que magnífico —dijo ella secamente, esperando que se alejara de ella.

—¿Sabe? Tendría más fuerza si usara más sus brazos, si los moviera más.

—Tengo toda la fuerza que necesito, señor Montoya. No estoy haciendo carreras.

—Mejoría, doctora, su mejor esfuerzo personal. Intente algo diferente. Podría sorprenderle.

Por Dios, ¡como era fastidioso el hombre! Como si no fuera suficiente tratar de sacarla del pueblo, ¡también quería controlar la manera en que corría! Increíble.

—Míreme —dijo—. No estoy sofocado, y todavía me quedan reservas. Usted, en cambio…

Tenía calor y estaba lista para regresar, y sin embargo, las palabras de él despertaron en ella algún elemento hondamente competitivo. Casi automáticamente, empezó a levantar más las piernas para extender más su paso.

Corrió el próximo kilómetro, más que lo normal en ella, a toda velocidad. Apenas notó el mundo alrededor de ella; ni el agua verde corriendo por el río, ni el cielo despejado. En cambio, lo único en que podía enfocarse era en Javier a su lado, sus piernas largas marcando el paso de ella, sus pasos sincronizados al correr.

No estaba funcionando, y ella lo reconoció finalmente. No podía ganarle, y no podía deshacerse de él. De repente le dio la impresión que el resto de su estancia en Río Verde podía ser exactamente como ésto, con Javier marcándole el paso. De un modo u otro.

Aminoró de nuevo el paso y finalmente se detuvo, respirando sofocadamente. Se apoyó contra un álamo y estiró los músculos de las pantorrillas, y luego cruzó las piernas y se dobló hacia adelante.

—¿Se da por vencida? —dijo Javier, todavía corriendo en sitio. Un pequeño grupo de sus estudiantes corrieron al lado de ellos, saludando a su entrenador y echando una mirada curiosa en dirección de Bel. Javier se limitó a mover la cabeza, y los muchachos, advertidos, continuaron su entrenamiento.

—No me doy por vencida —dijo, respirando—. Todavía tengo que regresar.

—¿Quiere una vuelta?

—¡No! —replicó bruscamente, deteniéndose después. Su simple presencia era suficiente para que olvidar su decisión de ser amable—. Estoy aquí para hacer ejercicio. Lograré regresar.

—Como usted quiera, doctora. Yo tengo que juntar a mis atletas. Aquí corremos todas las mañanas entre las seis y las siete y media. Regrese, y estiraremos sus limitaciones mañana.

Bueno, ¿no era típico? Simplemente no podía resistirse a criticar la condición de ella.

Pero antes de que ella pudiera contestar, él se había ido, corriendo, dejándola a terminar de estirarse sola, y pensando como iba a poder seguir si Javier Montoya se presentaba ante ella en cada esquina.

Tomó su buen tiempo para llegar al motel, y para bañarse y vestirse. La había fatigado más de lo que hubiera deseado la desacostumbrada carrera, así como el encuentro con Javier.

Tenía planeado un largo día. Primero iba a ver departamentos, luego a practicar una inspección completa de la clínica, con todo e inventario. Necesitaba saber que era lo que tenía y que era lo que necesitaba para poder luchar por su presupuesto ante la mesa directiva. Por lo menos se imaginaba que tendría que luchar, con Javier a cargo. El resto de la mesa directiva podría ser un poco más razonable.

Antes de las tres de la tarde, Bel estaba totalmente desencantada. Los departamento sobre el Paso del Río eran casi unidades habitacionales: edificios de bloques de cemento con pequeñas ventanas tipo industrial, alfombras con por lo menos diez años de uso, y el olor a aceite de cocinar impregnado en las paredes. Los dúplex por el lado oriental del pueblo eran más grandes, pero mal construidos, y además, no tenían vacantes. Bel tampoco quería vivir ahí, de todas maneras.

Y luego la clínica, que necesitaba prácticamente todo. Bel se encontró asombrada al pensar que el doctor Rodríguez había podido trabajar sin equipo decente alguno. Hasta su baumanómetro era sospechoso, o bien, lo que había encontrado había subido peligrosamente su propia presión arterial.

La biblioteca de referencia faltaba actualizarse por lo menos por quince años, pero por lo menos ella podía compensar éso. Tendría que llevar su "laptop" todos los días, pero podría ver los protocolos para tratamiento y drogas en línea. Por supuesto, que necesitaría otra línea telefónica para conectarse a la red y para su telefax.

Lo que más le preocupaba era el estado en que se encontraba el laboratorio.

Él tenía que haber mandado todo a laboratorios fuereños, decidió, molesta. Ni siquiera tenían tiras para medir la glucosa en la orina, ni equipo para tomar cultivos para diagnosticar el estreptococo, y mucho menos una centrífuga para efectuar las pruebas de sangre. Sí había un aparato de radiografía que era prácticamente una antigüedad, pero no encontraba película alguna.

La clínica parecía como consultorio de hacía cuarenta años. Y aunque pudiera servir para tratar una gripa común y corriente, o para vacunar a los niños, no era adecuada para problemas mayores. Había ciertos análisis que tendría que hacer aquí en Río Verde, donde el diagnóstico rápido era imprescindible para comenzar con el tratamiento, que de otro modo tendría que ser aplazado por varios días. Y otros análisis más sofisticados que tendría que mandar a hacer fuera, pero de todos modos, necesitaría el equipo apropiado para sacar las muestras.

Desesperada, llenó otra hoja de apuntes. Había llegado el momento, reconoció ella, de ir a visitar brevemente a Javier Montoya. Él parecía ser la clave para todo lo que necesitaba ella en ese momento; desde un departamento decente hasta los fondos para comprar lo esencial para la clínica.

Suspirando, cerró la puerta del laboratorio y apagó las luces de la clínica. Tenía bastante buena idea de como le iría con este encuentro, y no iba a ser divertido.

Pero su trabajo era actualizar el servicio médico de este pueblo hasta cumplir con las normas del siglo veintiuno. Le gustara o no a Javier. Y no existía mejor momento que este mismo para comenzar.

CAPÍTULO TRES

¿Dónde podrá estar a las cuatro y media un viernes por la tarde? Bel pensó. Contó tres posibilidades: en la oficina de la alcaldía, la escuela, o su casa. Pero cuando llamó al palacio municipal, él no estaba. Tampoco contestaban en la oficina de la escuela.

Y al marcar el número de su casa, estaba ocupada la línea. Varias veces. Obviamente, jamás se había enterado del servicio de llamada en espera. Bueno, entonces pasaría a verlo. Ya se le estaba haciendo costumbre, pero eran asuntos graves de la clínica.

Al tocar el timbre de la puerta, Lidia contestó, un teléfono inalámbrico contra su oído, y Bel supo sin preguntar que Javier tampoco se encontraba en casa.

—¡Hola! —dijo Lidia, y luego, hacia el teléfono—: Me tengo que ir. Nos vemos en la noche. —metiendo el teléfono en el bolsillo de su pantalón de mezclilla, agregó, con expresión de asombro:

—Sobrevivió. Me acosté antes de que llegara mi padre anoche. Auto-protección, ¿sabe?

—Todavía estoy de pie —dijo ella con una mueca—. Por lo menos hasta volver a hablar con tu padre. ¿Sabes dónde anda?

Lidia se encogió de hombros.

—Probablemente en la escuela. Hay un baile hoy en la noche después del partido, y no pudieron empezar a adornar el gimnasio sino hasta después de la última clase.

—Y, ¿dónde está la escuela?

—A aproximadamente un kilómetro y medio calle arriba. Hay que dar la vuelta sobre King, y a la izquierda en el primer semáforo —hizo una pausa, pensando—. Yo podría enseñarle, si quiere —dijo, titubeante.

—Si no estás muy ocupada.

—Tengo que preparar la cena al rato, pero nada más voy a hacer tacos de una caja. Y luego voy al partido. Todo el mundo asiste. Debería ir usted también. Se va a poner muy bueno en la noche.

He ahí una buena idea, pensó Bel. No había nada que se comparara con el futbol, o los deportes de preparatoria en general, para unir a un pueblo. Podría ver a Río Verde en plena acción, conocer gente, y quizás recuperarse de sus tratos con Javier. No sería mala manera de pasar un viernes por la noche.

—Déjeme ponerme unos zapatos —dijo Lidia, y Bel se preguntaba que qué tipo de zapatos encontraría para hacer juego con la combinación de colores de hoy, entre su pantalón negro de mezclilla, con una camiseta cortita en un color que Bel sospechaba alguna vez había sido verde jaguar.

Tenis verdes de plataforma, por supuesto. Lidia cerró la puerta con chapa, subieron al coche de Bel, y emprendieron su camino.

La escuela estaba en un edificio bajo y extenso, con varias alas saliendo de una plaza central. A un lado había un gran complejo atlético; campo de futbol, pista, y campo de béisbol. Había bastante gente corriendo por todos lados con cajas de bocados y equipo.

Una barrera de hombre que medía por lo menos 1.95 metros estaba cuidando la entrada. Bel se paró, pero Lidia se limitó a menear la mano y luego seguir caminando.

—Regresa para acá —gruñó el hombre—. Tienes que firmar tu entrada.

—Usted me conoce, señor Suárez —dijo Lidia, mirando hacia el cielo.

—Y tú conoces las reglas —le contestó él. Lidia se paró y regresó para firmar su sujetapapeles.

—¿Quién es tu amiga?

—Isabel Sánchez —contestó Bel ligeramente, extendiendo la mano—. Soy la nueva doctora.

—Jack Suárez, subdirector de la escuela —le estrechó la mano tan duro que ella lo sintió hasta el hombro.

—No me diga. Usted es el encargado de la disciplina.

—¿Cómo lo supo? —él rió luego, también pasándole el sujetapapeles—. Si me hiciera el favor, doctora. ¿Busca a Javier?

Ella asintió con la cabeza, firmando su nombre en la lista y regresando el sujetapapeles. Suárez miró la firma, satisfecho. Luego metió la mano al bolsillo de su pantalón.

—Tome, ¿por qué no viene al partido hoy en la noche? Será muy bueno. Y bienvenida a Río Verde, doctora.

—Bueno, pues gracias, señor Suárez —dijo, conmovida por su amabilidad.

Lidia la estaba esperando en el primer pasillo cerca de la entrada. La escuela tenía ese típico olor particular a capas de diferentes comidas hechas en la cafetería, sustancias químicas provenientes del laboratorio y el de los vestidores del gimnasio, la cera de los pisos, la tiza y los desinfectantes. Los olores le llevaron a Bel el recuerdo de sus propios días en la preparatoria; parecía que ciertas cosas siempre eran iguales no obstante donde te educaras.

Caminando hacia la izquierda, se dirigieron hacia un juego de puertas dobles. Con flores de papel, un templo de cartón pintado y una esfera de espejos habían transformado al gimnasio de Río Verde en gran metrópolis maya. Algunas personas andaban por el lugar, pegando adornos de último momento sobre las paredes y ensamblando el foro. Javier estaba parado sobre una escalera de madera, colgando un filo de flores de papel sobre una puerta en el otro extremo del salón.

Lidia condujo a Bel al otro lado del piso de madera.

—¡Papá! —dijo Lidia impacientemente al acercarse—. ¿Todavía no has terminado?

Él pegó las flores en su lugar con cinta adhesiva y volteó demasiado rápido en la dirección de la voz de Lidia.

—Lidia, pensé que te había dicho…

Luego vio a Bel. Y perdió el equilibrio.

Todo sucedió tan rápido que Bel no estaba segura de lo que había pasado. Pero Javier aterrizó de repente sobre el piso del gimnasio, sobre la muñeca de la mano derecha. Cerró los ojos y gimió. Media docena de gentes corrieron hacia la puerta, gritando:

—¡Javier! ¡Señor Montoya! ¿Se encuentra bien?

Bel se abrió camino entre la gente.

—Soy médico —dijo rápidamente—. Déjenme pasar, por favor —luego a Javier—, Señor Montoya, ¿puede usted hablar? ¿Cómo se siente?

—¡Papá! —llamó Lidia, pero esta vez lo dijo con un tono de preocupación.

Él abrió sus ojos un poco, como pequeñas ranuras. De dolor o por enojo, Bel no sabía cual. Quizás las dos cosas.

—Estoy… bien —dijo, con voz rasposa.

—La palabra para éso —dijo Lidia después de oír las palabras de su padre—, es torpe —extendiendo su mano, jaló a su padre de los hombros para sentarlo.

Él hizo una mueca de dolor, y agarró su muñeca. Bel se arrodilló a su lado.

—Déjeme ver, señor Montoya.

—¿Qué hace usted aquí?

Bel no contestó, limitándose a tomar su brazo, desabrochando el botón del puño de la manga de su camisa. Subiendo la manga verde hasta su codo, metódicamente examinó su muñeca. Primero la movió hacia adelante y hacia atrás, presionó fuertemente por los lados, la hizo girar suavemente y luego otra vez con mayor presión. Javier apretó los dientes sin decir nada.

—No creo que esté fracturada —dijo Bel—, salvo que sea una pequeña fisura. Podría sacarle una radiografía en la clínica si tuviera película —agregó irónicamente—, lo cual es algo que tenemos que discutir. Pronto.

—No en este momento, doctora —murmuró Javier—. Estoy fuera de servicio.

—Afortunadamente, yo no lo estoy —respondió ella secamente—. Lidia, tu padre ha torcido su muñeca. ¿Podrías tú o alguien más ir a ver si el equipo de futbol tiene una bolsa de hielo y una venda elástica?

—Papá, eres un absoluto torpe —dijo Lidia meneando la cabeza, al ir en busca de lo que Bel había pedido, mientras los demás espectadores regresaban a su trabajo de decoración.

Javier sostenía su muñeca sobre su pecho con su otra mano y miraba desconfiadamente a Bel.

—¿Por qué está aquí, doctora?

—Ya le dije. Terminé de revisar la clínica y necesito discutir lo referente a mi presupuesto. Pero no estaba usted en el centro y la oficina aquí estaba cerrada. Así que pasé a su casa, y Lidia me dijo que todavía estaba usted trabajando. Se ofreció a traerme.

Él meneó la cabeza.

—Esa chica. Jamás será secretaria, de eso estoy seguro. No tiene la menor idea de como proteger mi tiempo.

—Ella no quiere ser secretaria.

—Y, ¿cómo sabría usted éso?

—Pláticas casuales —dijo Bel cuidadosamente, vacilando entre su instinto de proteger a Lidia y de no querer meterse entre padre e hija. Le correspondía a Lidia decirle a su padre que quería ser voluntaria en la clínica, que quizás quisiera ser médico—. Ella mencionó la universidad, no la carrera corta de secretaria.

Él cerró sus ojos de nuevo y apretó su muñeca. A pesar de sí misma, Bel sintió una pizca de lástima por él. Todo le había salido mal a él últimamente. Hasta había tenido que aceptarla a ella, al mismo tiempo que tenía que lidiar con una hija adolescente, y ahora para colmo, tenía una muñeca torcida. Era mucho para un hombre tan orgulloso como Javier.

Ella le aflojó los dedos de él que sostenían su muñeca.

—No se apriete tanto. Dentro de un minuto bajaremos la hinchazón con hielo.

—Es que…¡duele!

—Lo sé —dijo ella suavemente, y luego Lidia reapareció con una bolsa de gel helado y una caja conteniendo la venda elástica. Isabel las aceptó y volvió a examinar la muñeca de Javier.

—Ya se le está hinchando. Use la bolsa de gel helado durante unos diez minutos, y luego le vendaré. Puede seguir aplicando hielo ocasionalmente durante los próximos días. Y si empieza a salir un moretón exageradamente azul y negro, debe de avisarme.

—Está usted volviendo a lo mismo, doctora.

—¿Qué cosa? —pero apenas hacía caso de sus palabras. Se había enfocado en su muñeca, acomodando la bolsa de gel helado para que el frío penetrara cada fibra de su músculo torcido.

Aprovechó el momento para estudiar sus manos. Estaban limpias, con uñas cortadas y con las venas corriendo a cada dedo. Manos fuertes, pensó ella, estirando sus dedos en toda su extensión.

—¡Ay! —protestó, y ella las dobló un poco.

De la nada, la mente de ella divagó, e imaginó aquellos dedos enredados en su cabello. Se le abrió la boca, asombrada por la imagen mental.

Y luego le llegó la siguiente imagen, aún más asombrosa. Javier inclinándose para darle un beso. Un beso sutil y sofocante.

Ella arrebató la mano, dejando la mano de él sobre la bolsa de gel helado. Aunque la verdad era que ella necesitaba el golpe helado en su propio cuerpo. De preferencia en la forma de una regadera.

¿De dónde habría salido esa alucinación? Ella no sentía atracción alguna por este hombre. Ni siquiera le caía bien. Estaba pasando por un momento de compasión desviada, eso era todo.

Javier Montoya era arrogante, controlador, y no era para nada el tipo de hombre que le gustaba. Sí, tenían que trabajar juntos. Ella podría, quizás, hasta llegar a vivir en la misma dirección por mera conveniencia y comodidad. Pero fantasear con él era simple y sencillamente una estupidez. Bel jamás había sido estúpida.

—Ejerciendo sin licencia.

—¿Cómo? —dijo Bel, sacudiendo la cabeza para despejarla totalmente.

—Ya volvió a lo mismo —repitió él—, ejerciendo sin tener su licencia.

—No sea ridículo. Cualquier mamá de jugador de futbol podría hacer ésto. Además, llamé hoy a

Austin. Todo el papeleo está procesado ya, y tengo mi número de licencia ya. Así que ya no lo mencione.

A ella le urgía salir de ahí, para recobrar la compostura. Rápidamente se puso de pie, parándose sobre sus tacones e inclinándose hacia atrás para equilibrarse.

—Es probable que necesite algo para aliviar el dolor durante la noche de hoy y mañana. Voy a la clínica para recoger unas muestras médicas. Regreso pronto.

Dio media vuelta y corrió.

Bueno, pues al diablo, pensó Javier. Nada más dos días, y ya había tenido más encuentros con Isabel Sánchez de los que quisiera contar. Ella aparecía en todos lados; en la pista de correr cerca del río, por ejemplo. Debería haber tenido el suficiente sentido común como para seguir corriendo en dirección opuesta a donde la vio. Pero ella se había visto tan confiada y tan chula, que se le había antojado ver si su actitud se justificaba.

La confianza había sido justificada; ella sabía lo que hacía al correr. Y de ser indicación alguna las pláticas entre los atletas en camino a la escuela, ella efectivamente era más chula que lo que él pensaba.

Su muñeca pulsante no era sino un recuerdo más de como lograba desquiciarlo la doctora Sánchez.

De ser factible, se alejaría de ella lo más posible. Ella era atrevida, brusca, totalmente angla, sin rasgos de latinoamericana. No la necesitaba en absoluto, y Río Verde tampoco.

Nada más que de repente, sí la necesitaba. Por su propia torpeza, pudo haberse fracturado algo. Cualquier otra gente pudo haber tenido un accidente. El equipo de fútbol estaban saliendo a jugar hoy en la noche… y eso siempre significaba la posibilidad de heridos. Río Verde necesitaba un médico.

Así que durante los próximos tres meses, tendría que tolerar a Isabel Sánchez. Él tendría que caminar sobre esa línea tan delicada que asegurara que ella cumpliera con su trabajo, al mismo tiempo que tendría que encontrar los motivos para poder cancelar su contrato después del período de prueba.

Y para hacer eso tenía que pasar tiempo con ella. Mucho más tiempo que el que le convenía. Porque entre más tiempo pasaba con ella, más probabilidad había de tener que admitir que estaba atraída a ella.

Era física la atracción, por supuesto. Ella sí que era bonita, después de todo; esa mañana a la orilla del río, ella no había dejado casi nada a la imaginación. Y él no había entablado más que relaciones muy casuales con mujeres durante una docena de años, y la mayor parte de ellas fuera del pueblo. Ni una sola desde Linda…

Cortó su propia línea de pensamiento. Podía manejar una atracción física. Tendría que controlarse. Y con la personalidad de Isabel, no debería de ser muy difícil. Era abrasiva, molesta, mandona y despiadada. Si ella volvía a molestarlo, nada más entablaría una conversación con ella. Con éso él se curaría de ella.

Como dirigida por un guión, la estimada doctora Sánchez reapareció, sus zapatos de vestir sin tacón golpeando contra el piso de madera dura. Atravesó hacia él y le quitó la bolsa de gel helado de su muñeca.

—Bueno —dijo sin emoción—, ya se controló la hinchazón.

Recogiendo la venda elástica que Lidia había dejado al lado de él cuando había ido a ayudar a un grupo de amigos, Bel empezó a envolver su muñeca. Su toque era clínico e indiferente, pero aun así, Javier lo sintió hasta la boca del estómago.

¡Basta!, se dijo. No es nada.

Pero la sensación que tenía le parecía bastante real.

Ella terminó de envolverle la muñeca, por arriba y por abajo, y sujetó la venda con cinta adhesiva. Él tenía que admitir que ayudó a detener las punzadas. Por lo menos en la muñeca.

Probablemente debe de irse a casa —aconsejó ella, poniéndose de pie.

—No puedo —usando su mano buena, se impulsó Javier para pararse también—. Estoy de chaperón hoy en la noche.

—Entonces, debería tomar una de éstas —le entregó tres paquetes de papel—. Le ayudará a soportar el dolor sin noquearlo.

Él caminó a una fuente de agua, abrió el paquete con sus dientes, y tomó la pastillita blanca con un trago de agua. Al terminar, Bel también tomó agua.

Dos cosas más —dijo rápidamente ella—. Quiero hablar con usted respecto al presupuesto de la clínica durante este fin de semana. Necesitamos urgentemente equipo y provisiones, y me gustaría pedirlos el lunes mismo.

Tomar el mando despiadadamente, se dijo.

—Está bien. El domingo por la tarde. ¿Le parece bien a las dos?

—Bien.

—Y, ¿la otra cosa?

—Su departamento. Me gustaría verlo.

—Brusca y atrevida, también. Y su primera reacción era negárselo. No la necesitaba complicando su vida en su casa, aparte de soportarla en el trabajo.

Pero tenerla tan cerca facilitaría su investigación de ella para buscar motivos de despedirla en tres meses. No era como si fuera a estar… espiando. Ella lo había sugerido, no él.

—Todos los demás lugares que he visto, pues no son… convenientes —continuó formalmente—. Yo sé que no está usted seguro de querer alquilarlo, pero simplemente no hay otra cosa. Sería una gran... ayuda poder acomodarme en algún lado, pronto.

Su tono llamó la atención de Javier. Había perdido el exceso de confianza y estaba, pues suplicando no era la palabra exacta. Pero pidiendo. Educadamente.

Había una primera vez para todo. Más tarde pensaría que cualquier analgésico que le hubiera dado lo había suavizado, pero en ese momento, lo único que pudo pensar en decir era...

—Está bien.

—Podríamos hacerlo ahora mismo. No deberíamos tardar mucho. Y Lidia dijo que todavía necesitaba preparar la cena.

Él dio un vistazo alrededor del gimnasio. Todo parecía estar bajo control. No porque pudiera ayudar mucho, de todos modos.

—¡Lidia! —llamó—. ¡Vámonos!

Tuvo que llamarla dos veces más y finalmente ir en su busca para hacerla separarse de un grupo de chicas.

—¡Papá! —protestó, quitándole la mano de su hombro—. ¡No hagas eso! ¡Me estás poniendo en ridículo!

—Y tú estás haciendo esperar a la doctora Sánchez.

—¿Ella va a venir? —los hombros de Lidia se enderezaron un poco.

—Va a ver al departamento.

—¿El altar?

—Lidia, un poco de respecto —espetó él—. Era de tu abuela para decorarlo como mejor le placiera.

Dios, había días en que el simple hablar con Lidia era como caminar por un campo de minas. Nunca te imaginabas cuando iba a explotar. Sin embargo, aceptó la sugerencia de Bel de que ella manejara en lugar de Javier con entusiasmo.

Unos momentos después, estaban subiendo las escaleras metálicas hacia el departamento, haciéndolas sonar un poco con sus pasos.

—No hemos redecorado desde la muerte de mi madre —advirtió Javier, metiendo la llave en la cerradura. Abriendo la puerta, prendió una luz.

Bel miró a su derredor, sin darse cuenta que había estado sosteniendo la respiración por la emoción. Dejó escapar el aire de sus pulmones por el alivio. El lugar era cautivante.

Por su lado izquierdo, la sala tenía calor y personalidad, con un largo banco empotrado bajo la ventana sobre una pared y un ventilador colgando de una viga en el techo. Los muebles eran cómodos y alegres: un sofá y sillón colores turquesa, rojo y beige, con cojines de sobra, y una mesita de lado. Por la gran ventana se filtraba una gran cantidad de luz, y el cojín en el banco de la ventana estaba tapizada igual al sofá.

A su derecha había un juego de antecomedor con una mesa de una sola pata, y la cocina era chica pero funcional; estufa con tres quemadores, fregadero con triturador de basura. El refrigerador estaba forrado con imanes y tarjetas religiosas; la Virgen de Guadalupe, por supuesto, pero también San José, San Joaquín, Santa Teresa, y media docena más.

—Es un altar —repitió Lidia—. Está peor en la recámara. Mamá Rosita siguió rezando que Dios le trajera una nueva esposa a Papá, pero…

—¡Lidia! —interrumpió él cortante—. ¡Ya basta!

Lidia no estaba lejos de acertar. En un rincón de la recámara había, precisamente, un altar. Una mesa cubierta contenía una colección de velitas votivas en candeleros de cristal rojo para varios santos, una madona de papel maché, un libro de oraciones atascado con tarjetas religiosas, y un rosario. Un cuadro alegre y enmarcado de la Santa Trinidad estaba colocado sobre la pared tras de todo.

Era encantador, recordando a Bel de manera muy clara todo lo que había perdido, habiendo sido criada en la religión presbiteriana. Todos estos interesantes santos católicos podrían quedarse durante un rato. Ella realmente quería llegar a conocerlos mejor.

El resto del cuarto era agradable, con una cama matrimonial y paredes de un azul claro. Había una unidad de aire acondicionado en la ventana, y el baño era limpio y funcional. Era mucho, pero mucho mejor que todo lo que había visto ella hasta el momento.

—El señor García bien sabía lo que decía cuando dijo que éste era el mejor departamento de todo el pueblo —dijo Bel.

—Con excepción del casero —dijo Lidia sarcásticamente.

—Ve a empezar a preparar la cena —le ordenó Javier, y, tirando la cabeza hacia atrás, Lidia salió.

La pregunta real era si Bel quería vivir en el jardín de Javier Montoya. Literalmente. La vecindad era agradable, con jardines bien cuidados y perros tras de rejas. Y el departamento era magnífico. Pero si ella vivía aquí, jamás podría escaparse de este hombre que parecía saber hacerla reaccionar en todos los niveles.

Pero el próximo pueblo estaba a ciento treinta kilómetros al sur. Era muy poco realista vivir tan lejos, especialmente cuando ella era el único médico en el pueblo. Tenía que estar disponible en caso de emergencia.

Comprar una vivienda sería extravagante, dado que ella no sabía cuánto tiempo podría estar ahí. Alquiler tenía más sentido, aunque Javier Montoya acabara siendo su casero.

—Lo alquilaré —dijo ella, extendiendo la mano, luego dejándola caer al darse cuenta que Javier no estaría estrechando la mano de nadie durante varios días—. Perdón —dijo en voz baja.

Él le dio un precio y ella aceptó.

—Se suponía que tenía usted que regatear —le dijo él al bajar las escaleras—. Jamás acepte la primera oferta que le dan.

Ella se encogió de hombros.

—Era un precio justo. Yo no regateo ni con los vendedores de coches, y mucho menos con otros. O se acepta un precio o no se acepta.

—Ese tipo de actitud le puede salir muy caro.

—Ya me costó, señor Montoya. Pero tengo que vivir en alguna parte.

Al pie de las escaleras, ella hizo un cheque por el alquiler del primer mes y lo cambió por la llave.

—Empezaré a traer mis cosas mañana —dijo Bel—. Sin embargo, la mayor parte de mis cosas están almacenadas al norte, así que si pudiera dejar los muebles, se lo agradecería mucho.

Algunas de las cosas de mi madre probablemente sigan ahí. Nada más ponga lo que no quiere en una bolsa de plástico y yo lo recogeré después.

—Está bien —hubo un momento incómodo porque no podían estrecharse las manos.

Justo cuando ella estaba tratando de decidir como concluir el trato, Javier se inclinó hacia adelante. Igual como lo habían hecho los miembros de la mesa directiva de la clínica la noche anterior. La besó en cada mejilla.

Más bien en el aire sobre cada mejilla. Pero aún así, su piel rozó la de ella ligeramente, una sensación ligera de papel de lija. Nada más fue un instante, y luego se quedó parado donde tenía que estar, viéndose cansado alrededor de los ojos y con los ojos un poco más cerrados que lo necesario. Bel se preguntó que si lo estaba imaginando.

Repentinamente insegura, se ocultó tras la preocupación profesional.

—Si se niega a quedarse en casa, por lo menos regrese temprano —lo amonestó Bel—. El descanso es la mejor medicina para esa muñeca.

Tambaleándose un poquito al caminar, Bel caminó hacia su coche y arrancó el motor. ¿De dónde habría salido ese beso?

No fue tan sofocante como el beso que había alucinado en el gimnasio, pero este beso había sido real. Y totalmente fuera de carácter.

Tenía que haber sido el analgésico, se dio cuenta ella. Normalmente no atontaba tanto a la gente, haciéndole cometer locuras, pero cada persona reaccionaba de modo diferente. Pero para el domingo, la aspirina sería más que suficiente; se le habrían pasado los peores momentos de dolor. De hecho probablemente justo lo suficientemente par que Javier volviera a ser él mismo con todo y su antagonismo. Que alegría.

Suspirando, Bel manejó de nuevo al hotel. Compraría algo de cenar en la cafetería colindante al motel, y, después de bañarse, regresaría al partido de futbol. Ella merecía divertirse un poco.

CAPÍTULO CUATRO

Dos horas más tarde, Bel estaba formada con la gente que esperaba pasar por la entrada del estadio de fútbol, su boleto en la mano. La iluminación sobre el campo de futbol había convertido la oscuridad de la noche casi en día, y los espectadores se saludaban entre sí. El olor a comida flotaba por el aire; palomitas de maiz y carnes a la parrilla, café y Coca.

Bel sonrió internamente. Se sentía bien al estar aquí, como si ella misma todavía fuera adolescente.

A Jack Suárez, recogiendo los boletos a la entrada, se le quebró la cara en gran sonrisa al ver a Bel.

—¡Doctora! —exclamó—. Que gusto que pudo venir. Está usted ahí en los estrados con el plantel docente. Nada más preséntese; todo el mundo es amable. Yo iré después del empiezo del partido y quizás podamos platicar.

Ella asintió con la cabeza y sonrió. Quizás hubiera logrado hacer un amigo.

Una vez adentro, Bel vio por los estrados, buscando su asiento. Al encontrarlo, subió por el pasillo para llegar a su fila...

Y se encontró cara a cara con Javier Montoya.

Se desvaneció su sonrisa, y dio un paso hacía atrás rápidamente, casi cayéndose. Pero Javier la agarró por el codo a tiempo con su mano buena, sosteniéndola hasta que ella recobró el equilibrio.

—Una caída al día es más que suficiente, doctora —dijo él—. Además, ¿quién la curaría?

Su mano era cálida y ella la sintió a través de su suéter y su camisa, haciendo corto circuito con el escalofrío que había empezado a recorrer su cuerpo en el momento de verlo. En su lugar había un calor suave, como el aire que los rodeaba.

Calor... ¿de Javier Montoya? No era posible. Bel dio un paso lateral, y él bajo la mano. Pero el lugar donde la había tocado permaneció un poco más caluroso que el resto de su cuerpo.

Confundida, se refugió en su personalidad médica.

—Veo que los medicamentos no han afectado sus reflejos —dijo—. ¿Cómo se siente?

—Empeñado —respondió—. Y, ¿usted?

—Nada más preguntándome que si no hay algún lado de Río Verde a donde puedo ir sin toparme con usted.

—Probablemente no —sonrió irónicamente, y Bel estaba sorprendida por la transformación. De verdad era guapo, con su tez olivácea, ojos oscuros y cuerpo casi perfecto. Pero la sonrisa destacaba las arruguitas alrededor de sus ojos y una travesura que ella jamás habría sospechado en él.

Por supuesto que no. Habían estado demasiado ocupados peleándose como para mostrar algo que no fuera desagradable el uno al otro.

En el lapso de unos cuantos segundos, ella había visto dos aspectos del hombre que ya había llegado a conocer, y la verdad, le había desagradado. Quizás tuviera que reevaluar su opinión.

Pero primero tenía que sentarse.

Se abrió camino entre media docena de fanáticos para llegar a su lugar. Javier la siguió.

—¿Por qué el juego, doctora?

Ella se acomodó en el asiento.

—Supe que iba a ser emocionante, y Jack Suárez me dio un boleto. Además, el futbol es un deporte sangriento; y alguien se podría fracturar una costilla o un tobillo. Debo estar aquí.

Nuevos grupos de espectadores se sentaron a su derredor, riéndose y platicando. Cuando notaron a Bel sentada al lado de Javier, cada uno preguntó:

—¿Quién es, Javier?

A la tercera vez había sido un poco lento en responder, Bel contestó por él.

—Soy Isabel Sánchez. La nueva doctora.

Esas palabras abrieron las compuertas de bienvenidas e invitaciones. Todo el mundo que iba conociendo quería ofrecer algo; invitarla a dar discursos ante los grupos de la comunidad y los grupos de biología de la preparatoria, hacer servicio a la comunidad en la biblioteca, o a dar clases en el centro comunitario. Bel platicaba y bromeaba con todos, haciendo y contestando preguntas respecto al pueblo, su historia y sobre sí misma.

—¿El apellido Sánchez? —dijo—. Mi padre era de México, pero murió cuando yo tenía seis años.

—Mi estancia en el pueblo parece agradarle a la gente —dijo con algo de presunción a Javier.

—Y todos quieren un pedazo de usted.

—Y, ¿qué tiene éso de malo?

Sí, pensó él, pero no lo dijo en voz alta. Él quería deshacerse de ella, por toda una serie de razones. Pero viéndola tratar a sus amigos y colegas, se dio cuenta que era poco probable que la vieran de la misma manera como la veía él. Dentro de este escenario, ella parecía amable y natural. Diferente, por supuesto, pero decente.

Y si ella aceptaba aunque fuera la mitad de las invitaciones que estaban llegando, además de administrar la clínica, podría verse como beneficio para Río Verde.

Él sabía, por supuesto, la verdad. Ella era beligerante y no cooperaba. No respetaba nada aparte de su propia autoridad. Y ese tipo de valores personales la pondrían en contra de todo Río Verde. No obstante la buena personalidad que estaba mostrando en este momento.

Él no se dejaría engañar por lo que estaban viendo los demás. Él ya conocía la verdad.

Los Jaguares completaron un pase de veinticinco yardas para lograr un touchdown. Los estrados explotaron en aplausos, la banda tocó una canción de lucha, y luego el equipo logró patear el punto extra.

Bel gritó tan fuerte como el resto del grupo, aplaudiendo y silbando. Luego Jack Suárez apareció al lado de los estrados y se metió, dejando a Bel entre Javier y él mismo.

—Ese David Silva es algo serio —dijo Jack, refiriéndose al jugador que había atrapado el pase—. ¿Todavía salen juntos él y Lidia, Javier?

—Sí.

—Ay, el romance de los jóvenes —dijo Jack, sonriendo ampliamente. Luego volteó hacia Bel y entabló la plática más serena que podría tener alguien en un estadio lleno de gente.

Javier observó a los dos de reojo, sin gustarle lo que estaba viendo. Jack se inclinó mucho hacia Bel, agachando la cabeza para que su boca estuviera sólo a escasos centímetros de su oído. Javier no pudo escuchar lo que decía pero de repente Bel sonrió. Jack dijo algo más, y luego ella se rió, aventando su cabeza hacia atrás y viéndose absolutamente hermosa.

Le brillaban sus ojos color avellana; los de Javier la miraban desairadamente. Jack merecía algo mejor que una mujer de mal carácter y tan poco razonable como Isabel. Pero no había manera para que Jack, o cualquier otro, pudiera saber como era ella de verdad. Hoy, ella estaba ocultando sus grandes defectos tras un antifaz de buena voluntad y buen humor.

Gracias a Dios que ella se iría a casa después del partido. Jack no necesitaba más ánimos. Ya parecía endiosado.

Pero oyó a Jack decir a Bel:

¿Por qué no vienes al baile? No cuesta trabajo ser chaperón, el grupo toca bastante bien, y Jack —extendió la mano para dar una palmadita al hombro de Javier—, ustedes hicieron una excelente labor con las decoraciones. Me asomé a verlas hace ratito.

Javier hizo una mueca de dolor cuando Jack le pegó y automáticamente agarró su muñeca para protegerla.

—Cuidado —dijo Bel—. Se lastimó durante el desempeño de sus deberes hoy. Todavía le duele.

—Disculpa, hombre. No sabía. ¿Estás bien?

—Perfectamente —dijo secamente, sin soltar la muñeca.

—Si te está molestando, vete a casa, Javier. Podemos cubrirte. Un chaperón más o uno menos no importará.

—Es lo que he estado tratando de decirle desde que se cayó —agregó Bel—. No hace caso.

—No cuando cree que tiene la razón —dijo Jack, meneando la cabeza—, o que es indispensable.

Lo cual era cierto, en los dos casos. ¿Qué importaba que estuviera dolorido o cansado? ¿Qué importaba que quisiera tomar la pastilla que Bel le había dado nada más para tomarse a la hora de dormir? Él necesitaba estar aquí. Si no podía controlar a Isabel, por lo menos debería observarla para saber exactamente como estaba encantando a la comunidad, y como responder cuando llegara el momento propicio.

Llegó el medio tiempo, y la gente entraba y salía de los estrados con bocados y bebidas. Cada movimiento en las gradas hacía doler más la muñeca de Javier, pero no abandonó su postura. Y cuando Jack y Bel salieron a los puestos de comida, Javier los acompañó.

—Te traeremos algo si quieres, Javier —se ofreció Jack.

—Necesito estirar las piernas —respondió Javier, aunque cada paso por las graderías le provocaba una punzada de dolor que llegaba hasta su hombro.

En la concesión de comida, Julia García de la mesa directiva de la clínica estaba sirviendo bebidas y tacos.

—Javier, Jack —saludó Julia, y luego—, ¡doctora! Que gusto de verla. ¿Está disfrutando el partido?

Bel asintió con entusiasmo, y luego agregó:

—Debo decirle que la situación de mi licencia ya se arregló. Voy a abrir la clínica el mismo lunes.

—¡Excelente! —sonrió ampliamente Julia.

—Y ahora nada más necesito muchas provisiones.

—Vamos a revisar el presupuesto el domingo —interpuso Javier, antes de que Bel pudiera decir más—. ¿Qué tal una Coca?

—Dos —agregó Jack, viendo hacia Bel, quien asintió con la cabeza—. Mejor tres, Julia.

Javier sacó un billete de cinco dólares de su bolsillo y lo aventó sobre la barra de madera pintada. Julia se apresuró a preparar las tres bebidas en la máquina de sodas y le dio su cambio. Al pasar su bebida a Bel, le dijo:

—Me avisa si nuestro director de la mesa directiva le da demasiado lata. Nunca alcanza el dinero, pero podemos cubrir por lo menos algunas prioridades.

—Gracias —dijo Bel, echando una mirada sentida en dirección de Javier—. Lo recordaré.

—Esa Julia es increíble —dijo Jack cuando se dirigían a sus asientos—. ¿Sabías que aparte de manejar la farmacia y servir en la mesa directiva de la clínica es la presidente de la Asociación de Padres de

Familia de la escuela? Y está criando a cuatro hijos. Esa mujer tiene más energía que Dios. Más o menos como Javier en un buen día.

—Yo no tendría manera de saberlo —dijo Bel suavemente.

—¿Qué Javier te ha dado lata? —preguntó Jack bromeando—. Es nada más porque todo le importa. La escuela, ser entrenador, la política, mesas directivas... está metido en todo. ¿Sabes? Él es la razón por la que te encuentras aquí. Muchos no querían traer a un nuevo médico. Decían que el doc era suficiente. Pero Javier siguió convenciendo hasta que casi todo el mundo estuvo de acuerdo.

—Jamás lo habría yo imaginado —dijo ella, mirando a Javier con curiosidad.

—Mira —dijo Jack, impulsando a Bel hacia los estrados—, ya está empezando de nuevo el partido. Vamos.

El resto del partido fue como un viaje en montaña rusa, con los Jaguares volviendo a anotar, y luego sus rivales, dos veces. Estaban empatados hasta los últimos treinta segundos del último cuarto. El joven David Silva se lanzó a atrapar espectacularmente el ovoide, corriendo largamente hasta alcanzar un gol. Fallaron al sacar el punto extra, pero sostuvieron su posición durante la última jugada para ganar el partido.

La banda estalló con las notas del himno de la escuela mientras los aficionados salían de las graderías, gritando de gusto. Los padres de familia caminaron en dirección del estacionamiento, los estudiantes se dirigieron en dirección del gimnasio, y los jugadores a los baños y vestidores.

Normalmente, Javier habría estado tan emocionado como todos, pero tanto el dolor como Isabel Sánchez, le habían colmado la paciencia. Pero que otra cosa podía hacer ya que Isabel iba al baile, ¿aparte de aguantarse?

El grupo caminó hacia el gimnasio, donde un grupo de padres de familia ya había tomado sus lugares para recibir los boletos. Otro grupo de padres estaban posicionados tras de una larga mesa en el pasillo, ofreciendo refrescos y botanas al gentío que entraba.

—¡No metan comida al gimnasio! —gritaron Jack y Javier juntos al entrar.

—Los adolescentes son asombrosos —agregó Jack—. Saben la letra de todas las canciones populares, pero se les olvida donde pueden o no comer.

—Yo tengo que ir al tocador —dijo Bel—. ¿En dónde lo encuentro?

—Al final del pasillo a la izquierda —dijo Javier—. Si alguien está fumando, mírelas despectivamente. También saben que está prohibido.

Bel caminó por el pasillo mientras Javier y Jack entraron al gimnasio, saludando estudiantes, y a los padres de familia listos para lidiar con problemas. Un salón lleno de adolescentes emocionados podía ser una bomba, pensó Javier. Adultos emocionados podían serlo también, pensándolo bien.

Bel los encontró juntos unos minutos después.

—Tenía usted razón. Las chicas tenían cigarros.

—¿Los apagaron cuando la vieron?

Bel asintió con la cabeza.

—Pero estaba pensando... ¿Qué clase de programa educativo tienen aquí para prevención del uso de estupefacientes? Había por lo menos diez niñas prendiendo cigarrillos cuando entré. Son muchas. Alguien necesita hablar con ellos, mostrarles lo que sucede con la gente que usa cualquier tipo de drogas.

—Es la responsabilidad de los padres —dijo Javier bruscamente—, no de la escuela.

—En un mundo ideal, por supuesto —dijo Bel, mostrando bastante enojo en su voz—. Pero el mundo real necesita todos los extras que podamos dar. La salud pública es mi trabajo.

—Vamos a concentrarnos primero en los servicios médicos primarios, ¿le parece? Eche a andar la clínica primero —dijo Javier apretadamente.

—Hay un programa que usamos en la facultad de medicina —dijo Bel, ignorándolo—. Sería fácil adaptarlo para adolescentes de preparatoria, para luego entrenar a otros presentadores. Así podríamos hacerlo llegar hasta las primarias. Para estas cosas hay que comenzar a temprana edad.

—Tiene usted otras responsabilidades primero —insistió Javier, levantando la voz.

—Y no nada más educación respecto a las drogas —continuó ella—, sino quizás un programa de salud para los adolescentes una o dos tardes por mes, nada más para los jóvenes. Un lugar donde pueden recibir información completa respecto a todo lo que les preocupa: las drogas, el sexo, las enfermedades, hasta los anticonceptivos.

—No aquí y no ahora, ¡doctora!

Jack los miró confundido, sin saber como aliviar la tensión que escalaba entre ellos.

—Habla con la señora Arce —dijo rápidamente—. Ella es la maestra de biología que conociste esta noche. Quizás tenga un lugar para ti, Bel.

¿Bel? ¿Jack? ¿Desde cuándo se tuteaban estos dos? Javier estaba absolutamente seguro que no le gustaba éso para nada.

El gimnasio se había llenado con los estudiantes y sus acompañantes. El conjunto tocaba una mezcla de música popular y rock, agregando de vez en cuando una pieza latina en reconocimiento a sus raíces. En un rincón, un grupo de maestros y chaperones tambaleaban los pies al ritmo de la música, y algunas parejas salieron a la pista a bailar.

—¿Quieres bailar, Bel? —preguntó Jack. Ella asintió con la cabeza, y la llevó hacia la pista del gimnasio, dejando solo y furibundo a Javier.

Los observó en la pista de baile. Jack era un hombre enorme, y torpe para bailar. Bel, más chica y flexible, trataba de seguirlo, pero Jack la perdió al girarla hacia afuera.

Jack se limitó a reírse y volvió a intentarlo. Pero el espectáculo era doloroso. Jack y la doctora eran una pareja dispareja, de varias maneras. Jack era un buen hombre, el mejor de los hombres. Pero Isabel era la mujer equivocada para él; arrogante y dura, totalmente convencida que tenía las soluciones para todo. No le convenía.

Nada más había una sola manera de parar ésto en seco, y salvar a Jack tanto de sí mismo como de la doctora Sánchez.

Javier marchó a la pista de baile, tocó el hombro de Jack y se metió a bailar con ella.

Jack no se inmutó al ver a Javier. Ofreció una mirada de disculpa silenciosa a Bel y se hizo a un lado.

—Perdón, Javier —dijo en voz baja, apenas perceptible por el volumen de la música—. No me había dado cuenta.

Javier asintió con la cabeza, puso la mano sobre la cintura de Bel y tomó su mano firmemente con la suya. Ignorando la mirada furiosa de Bel, la llevó hasta el centro del gimnasio, bajo la luna maya de espejos.

Bailaron. Él no había hecho ésto en años, pero con unos cuantos pasos, recordó todo. Los pasos, los giros, las inclinaciones y vueltas. Sus pies se movieron con velocidad durante la primera canción. La segunda era más lenta, y la jaló cerca de él, sin decir nada, moviéndose al ritmo de una samba modificada con la lenta, triste canción de amor prohibido.

Él ya había visto todo lo que tenía ella que ofrecer hoy en la orilla del río. Ahora lo sentía, sintiendo cada curva, cada subida y bajada de sus senos que presionaban contra él. Ella estaba susurrando algo, alguna súplica de que la soltara, pero él siguió apretándola, moviéndose al ritmo de la música.

Ella estaba boqueada al final de su tercer baile, y la muñeca de él le dolía como nada antes en su vida, pero a él no le importaba. Ya todos estaban parados observándolos; así que tenían toda la pista para ellos solos.

Él no se engañaba solo. No deseaba a Isabel Sánchez más que de la manera más primitiva. Y pensaba controlar ese deseo. Pero al mostrar que ella le pertenecía, y de manera pública, los pobres tipos como Jack no se dejarían engañar por la doble personalidad de Isabel. Y le daría aún más credibilidad al determinar el futuro de Isabel en Río Verde.

Ahora le tocaba sellar el espectáculo con broche de oro.

La hizo girar de nuevo, a toda la extensión de los brazos de los dos, y luego la atrajo de nuevo hacia él, inclinándola casi hasta el piso, y luego le plantó un beso directamente en la boca.

Hubo un chispazo de energía y poder, y Javier, quien había logrado mantener casuales todos sus enredos con las mujeres durante los últimos doce años, sintió una carga de algo salvaje, que alguna vez le había sido familiar, pulsando por su sangre. Presionó sus labios sobre los de ella de nuevo, sin poder creer que hubiera tanta atracción entre ellos.

El aliento de Bel cubrió la cara de él con calor, asombroso por su cercanía. Y exactamente cuando el impacto de lo que había hecho se apoderaba de él, la levantó y la soltó.

Y Bel intentó abofetearlo.

Con reflejos que deberían haber estado nulos por el dolor y mareo, Javier agarró la muñeca de ella antes de que se conectara con su mejilla. La sostuvo ahí durante un momento, y luego lo convirtió en otro giro despampanante al salir los dos de la pista.

El público aplaudió. Hubo silbidos y gritos, y exclamaciones de:

—Órale, ¡señor Montoya!

Pero Javier no hizo caso. Quería estar fuera de la pista antes de que Isabel empezara a exigir explicaciones.

—¿De qué demonios se trató todo éso? —dijo furiosamente aun antes de que pasaran de la puerta al patio de la escuela.

—Éso, mi querida Isabel, fue su bienvenida a Río Verde.

—¿Cómo se atreve? Estaba yo bailando con Jack. Usted me puso en ridículo y de paso, ¡a usted mismo!

—No. La gente estaba encantada. ¿No escuchó los aplausos?

—Estaba usted actuando de una manera arriesgada y estúpida. Van a sacar ideas equivocada... —hizo una pausa y de repente entendió—. Usted lo planeó. Usted quiere que la gente piense ... pero, ¿por qué? Ni siquiera nos caemos bien.

—No creo que nos hayamos dado una oportunidad justa —dijo, escogiendo cuidadosamente sus palabras. Aquí era donde o creaba o destruía la ilusión—. Necesitamos volver a empezar. Al verla con Jack me despertó a esa realidad.

—Hay algo entre nosotros, Isabel —continuó—. También lo sintió usted. Ahora y desde el momento en que nos conocimos. Hay una pasión entre nosotros. Bueno o malo, es pasión. Es el centro del alma latina. Innegable.

Él reconoció la verdad en sus palabras aun antes de que salieran de su boca, y se tensó, cada músculo en su cuerpo paralizado. ¿Cómo iba a poder soportar aunque fueran tres meses sin rendirse? ¿Sin correr el riesgo que esta verdadera pasión se convirtiera en algo mucho más intenso?

Acababa de empezar algo muy peligroso. Y a partir de mañana, ella estaría viviendo a unos cuantos cientos de metros de él , día tras día. ¿Y luego qué?

—Yo no busco la pasión —dijo ella francamente.

Pero quizás era precisamente lo que buscaba. ¿Cómo lo había dicho él? ¿Que el centro del alma latina era la pasión. Quizás de verdad era lo que buscaba ella. En parte.

Pero no con Javier Montoya.

Tampoco con Jack Suárez. Ni con John Montgomery, ni con Matt Francis, ni con ninguno de la media docena de hombres con quienes se había involucrado ella desde el colegio.

—No estoy buscando la pasión —repitió ella, pero ahora la duda se oía en su voz—. Lo único que quiero es la oportunidad de hacer mi trabajo y conocer este lugar donde por contrato he decidido pasar dos años. Dos años, señor Montoya, aunque usted me quiera despedir en tres meses.

Él levantó los brazos, rindiéndose.

—Tiene usted borrón y cuenta nueva, Isabel —y cuando lo dijo, fue verdad. El beso había cambiado algo. Todavía pensaba que Río Verde estaría mejor servido por alguien con verdaderas raíces latinas, pero quizás Bel funcionara. Quizás ella pudiera llegar a comprender sus tradiciones y orgullo, sus costumbres y creencias. Quizás hasta respetarlos.

Quizás.

—¿Qué quiere decir?

—Quiero decir que olvidaremos su problema de la licencia y su allanamiento en la clínica y el que haya ignorado los deseos de la mesa directiva. Volveremos a empezar el domingo al hablar de su presupuesto. El cual, le advierto, es escaso.

Respiró hondo.

—Quiere decir que yo olvidaré mis nociones... preconcebidas de las jóvenes médicos del sexo femenino y anglas y que voy a conocer a esta doctora —tocó suavemente la cara de ella—. Usted, Isabel.

—Y, ¿qué tengo que hacer yo?

—Su trabajo. Cuidar la salud física del pueblo. Tratar de comprender quienes y como somos aquí en Río Verde. No estar tan ansiosa de imponernos sus valores. ¿Todo aquello de la educación sexual y las drogas? Esperar un rato. Hay mejores lugares para eso que en las escuelas.

Bel se desplomó sobre un banco de concreto al pie de un muro del patio y exhaló lentamente, pensando. Éste no se parecía en absoluto al Javier Montoya que ella había conocido, aquel arrogante, engreído sabelotodo.

Y sin embargo, la gente confiaba en él. Era el alcalde, era maestro y era entrenador. Uno no llegaba a ser todo eso sin la confianza de mucha gente. Había algo más profundo en él. Algo que la invitaba a conocerlo.

Y, ¿no era eso exactamente lo que quería ella? Una oportunidad de llegar a conocer este lugar, su cultura, ¿su gente? Para ver de que manera se adaptaba ella, ¿para encontrar cualquiera conexión a la parte de ella y de su padre que había perdido?

Sonrió un poco. Era difícil creer que su mentor estuviera invitándole a hacer precisamente lo que quería. Sin burlarse de ella. ¿Sería un milagro?

—Sin promesas —dijo ella—. Sin garantías.

—No existen en la vida. ¿Por qué he de esperarlas aquí?

—Parece que tiene las expectativas muy altas.

—A veces me desilusionan. Raras veces.

—A mí también. Especialmente cuando las personas ignoran mis órdenes médicas. Déjeme ver su muñeca, señor Montoya.

—Creo que podemos tutearnos, Isabel —se sentó al lado de ella en el banco, sosteniendo su muñeca derecha con la mano izquierda.

—Me llamo Bel. Nada más Bel —empezó a quitarle la venda elástica.

—Quizás en otra parte. Pero estás en Río Verde, tienes un nombre de pila español, y deberías usarlo. Yo te llamaré Isabel.

No tenía caso discutirlo. Javier era demasiado terco. Ella decidió guardar la discusión para algo que valiera la pena. Como ordenar que se fuera a su casa a descansar y remojar su muñeca.

Me asombra que hayas podido bailar con esto —dijo ella, tocando suavemente su muñeca hinchada. Recorrió la piel amoratada con un dedo, con sólo la mitad de su cerebro médico atento a la lesión.

La otra mitad estaba preguntándose como serían las cosas cuando la muñeca de Javier sanara, cuando él pudiera tocar la cara de ella, sus manos, y enseñarle más respecto a la pasión y el alma latinas...

Se sacudió de nuevo a la realidad. No era ni el momento ni el lugar. Recogió la venda y empezó a envolver su muñeca de nuevo.

—Debería haber dolido como un de... —terminó, abrochando el sujetador para sostener en su lugar el elástico.

—Si que dolió. Pero tuve mis razones.

—Vete a casa —dijo ella, poniéndose de pie—. Ponla en hielo durante quince minutos, toma una píldora y acuéstate. Yo te llevaré una tablilla mañana para que no puedas repetir la escenita de esta noche.

—Valió la pena.

—Jamás vale la pena correr riesgos con tu salud. Eso es algo que sé con toda seguridad.

—Está bien, está bien. Déjame decirle a Lidia que la veré en la casa.

Pero no pudieron localizarla, ni a David, tampoco. De hecho, mucha gente había abandonado el baile ya. Javier sacudió la cabeza.

—Si llega tarde…

—Estarás dormido —dijo Bel pragmáticamente, finalmente sintiéndose como ella misma entre el resto de la gente todavía escuchando música—. Vámonos, que te voy a llevar a casa.

Pero durante el trayecto a la casa de Javier se puso nerviosa de nuevo. Manejaron en silencio, Bel al volante, Javier observando su perfil mientras ella conducía. Podía sentir sus ojos sobre ella, observándola. Se preguntaba como la veía, y si le gustaba lo que veía. Cuando él sonrió, con una sonrisa complicada y enigmática, ella supo con toda seguridad que le gustaba, y el poder de ese conocimiento le hizo palpitar el corazón.

Cuando se bajaron del coche, la noche los rodeó como una cobija, envolviéndolos con el misterio de un millón de estrellas brillando en el cielo. El corazón de Bel empezó a saltar al caminar sobre la vereda hacia la casa. Javier puso su mano sobre su región lumbar de manera posesiva, y Bel casi se tropezó al entrar a la casa. No estaba acostumbrada a este… este regocijo nervioso, del tipo que la hacía tropezarse con sus propios pies y que respirara a jadeos. Estaba acostumbrada a estar en control, y Javier la hacía sentirse totalmente fuera de control.

—Me siento un poco… fatigado —susurró—. ¿Por qué no me ayudas a acostarme, doctora?

A ella no le quedaba otro remedio más que caminar por el oscuro pasillo al lado de él, emparejando su paso con el suyo, y entrando por la última puerta a la izquierda. Su cuarto.

Él prendió la corriente sobre la pared y se encendio una lámpara de cerámica en la mesita de noche al lado de la cama, iluminando el cuarto con un resplandor dorado. Era grande el cuarto. Masculino. Una gran cama dominaba el centro del cuarto, con un sencillo crucifijo colgado sobre el centro de la cabecera. Un escritorio de oscura madera tallada estaba a la derecha, con un par de sillas de cuero hundido en cada extremo. Un armario alto estaba en la contraesquina, con la puerta entrecerrada. Las obras de arte, estratégicamente colocadas sobre paredes de un cálido tono de beige, era parecidas a las que ella había visto en la sala; pinturas audaces sobre corteza de árbol en colores vivos, un tapiz azul y rojo de diseño geométrico, y tres bosquejos enmarcados hechos en carboncillo, todas de mujeres en un mercado al aire libre.

—¿Que crees? —preguntó roncamente.

—Muy… muy tú —susurró ella.

—Y, ¿te gusta?

Ella asintió con la cabeza silenciosamente.

—¿Y yo?

—Quizás —la palabra salió como susurro quebrado. Se le había secado totalmente la garganta, parada tan cerca de él, en la intimidad de su recámara.

—Ayúdame —dijo él en voz baja, y aunque ella no lo escuchó realmente, instintivamente supo qué necesitaba. Tímidamente, como si no hubiera visto miles de cuerpos masculinos durante su carrera médica, volteó a verlo, y empezó a desabrocharle su camisa.

La camisa se abrió al desabrocharla, y en la luz de la lámpara, su piel brillaba entre oliva y dorada. Desabrochó los botones en los puños de las mangas y empujó la camisa de sus hombros, hacia los brazos hasta el piso. Su pantalón caqui colgaba a la cadera, el cinturón que lo sostenía suplicando ser desabrochado.

Él la rodeó con sus brazos y levantó su cara hacia la suya. Entonces la volvió a besar, como la primera vez, pero más fuerte. Este beso calentó la sangre de ella, hizo que sus entrañas se derritieran en languidez, e hizo que todo su ser ansiara la conexión primitiva entre un hombre y una mujer.

La besó una tercera y una cuarta vez, y ella respondió con gemiditos guturales de placer y deseo. Descansó sus manos contra la piel lisa de su pecho, sintiendo que entrara y saliera el aire de sus pulmones con desenfrenada satisfacción.

Ella estaba mareada ahora, al punto de dolor, y hambrienta de una manera que no había sentido durante meses. Quizás años. La carrera médica y la residencia habían sido tan exigentes, que había ignorado la necesidad tanto de su cuerpo como de su alma para compañerismo. Pero al parecer, estaban terminando los años de privaciones.

Entonces él la volteó, mandándola en dirección de la puerta.

—No dijiste algo sobre ... ¿hielo? —murmuró—. En la ...cocina.

La empujó por la puerta de la recámara y Bel se tropezó como ciega por el pasillo hasta llegar al refrigerador. La deslumbró la luz del congelador y el aire helado, al pegarle de lleno a la cara, la despertó de su estupor como una bofetada.

¿Qué es lo que estaba pensando? Javier era su paciente, y ella estaba comportándose como si fuera su... ¡amante!

Y esperando que lo fuera.

Era extraño como una hora de pasión desenfrenada podía borrar ocho años de entrenamiento y cuarenta y ocho horas de franca repugnancia.

Buscó en el congelador y encontrando un paquete de hielo congelado, lo sacó. Lo puso contra su frente, sus mejillas, su cuello y sus senos. El frío era impactante, pero no ayudó en lo más mínimo para controlar el calor que corría por sus venas.

Había venido a Río Verde para encontrar una parte de sí misma. Pero no esta parte. Y especialmente no con su "jefe."

Tendría que terminar de tratarlo por su herida y luego tratar con el problema de ética profesional de involucrarse con un paciente. Sería una lástima que el jefe de la mesa directiva de la clínica tuviera que buscar atención médica en otra parte. Pero trataría con eso después.

Encontró una toalla en el escurridor de los trastes y envolvió el paquete helado. Entonces, respirando hondo varias veces para calmar sus nervios, regresó al cuarto de Javier.

Él ya estaba en la cama, su ropa colocada ordenadamente sobre el respaldo de una de las sillas de cuero hundido.

—Regresaste —dijo, con voz cansada.

Ella asintió con la cabeza, sin confiar suficientemente en sí misma para hablar. Caminando hacia el lado derecho de la cama, tomó una almohada de la cabeza de la cama y la colocó a lo largo del costado de él. Suavemente levantó su brazo lastimado de abajo de las cobijas y lo puso sobre la almohada.

Sentándose al lado de él, recobrada su mejor actitud profesional de doctora, quitó la venda de nuevo y rodeó el paquete helado alrededor de su brazo.

—¿Dónde pusiste tu medicamento para el dolor? —preguntó un momento después, recobrando su voz.

—Lo tomé —dijo él, con los ojos cerrados.

—Está bien, entonces. Quédate ahí. Descansa.

Ella se sentó en la silla desocupada durante los siguientes quince minutos, observando mientras subía y bajaba el pecho de él al alternar entre el sueño y la consciencia. Cuando había pasado suficiente tiempo con el paquete helado, ella se lo quitó, volvió a vendar su muñeca, y la acomodó de nuevo sobre la almohada.

Resistió la tentación de despedirse de él con un beso. En lugar de hacerlo, regresó el paquete helado al congelador y salió por la puerta principal, echando llave tras de ella.

Por lo menos veinte coches estaban estacionados sobre la orilla del río esa noche. Algunos de los adolescentes habían salido de los coches estaban sentados, sobre las capotas platicando, riéndose y coqueteando. Otros, en su mayoría parejas, caminaban por la vereda en la orilla del río abrazados fuertemente unos con otros, parándose para darse un beso de vez en cuando bajo la luna y la sombra de los álamos.

Lidia Montoya y David Silva discutían.

—Tú sabes que te amo, David.

—Entonces, demuéstramelo —su brazo estaba rodeando los hombros de ella, y la acercó hacia él para besarla fuertemente—. Demuéstrame cuanto me amas.

Lidia se soltó de sus brazos.

—David, ya te lo dije. Ya no quiero sustos. En cuanto pueda meterme en la clínica de Del Río estará bien.

—Está bien ahora, nena. Te lo prometo. Te deseo tanto, Lidia. Quiero casarme contigo. ¿No es suficiente?

—La próxima vez debe de ser especial —ella estaba incómoda—. No aquí en tu coche.

—Antes íbamos al departamento de Mamá Rosita. Nos gustaba, ¿te acuerdas?

—Bueno, pues ya no es una posibilidad —dijo ella duramente—. Lo rentó la nueva doctora.

—Entonces, ¿Dónde más aparte de mi coche? —replicó David—. Tu padre te cuida como guardaespaldas. Apenas pudimos salir del gimnasio esta noche sin que nos arrinconara. Y mi jefe está todo el día y toda la noche. Aquí es todo lo que tenemos, Lidia. Vamos —le besó la mejilla, su frente, su boca—. Demuestra al héroe qué es lo que realmente sientes.

—Quiero irme a casa, David.

—Ay, Lidia —se apartó de ella y miró tras el parabrisas—. Nada más quiero estar contigo. ¿Es tan malo eso?

Ella le tocó la cara con las puntas de los dedos.

—No —dijo suavemente—, pero no hasta que estemos protegidos los dos. Entonces. Te lo prometo.

El se separó, frustrado y dio la vuelta a la llave del motor para arrancar su Ford '85. Se prendió el motor. Metiendo la velocidad, subió por la colina hasta la calle. Manejó demasiado rápido por la colonia donde vivía Lidia, metiéndose en la entrada de su casa.

Ella suspiró.

—Gracias por traerme a casa, David. Jugaste muy bien esta noche.

—Jugaría mejor contigo.

—Después de la pastilla anticonceptiva —inhaló fuertemente, y luego se calmó un poquito—. Llámame cuando llegues a casa. Llevaré el teléfono a mi cuarto.

—No voy a mi casa. Guzmán hizo fiesta, y voy a ir a desahogar mis penas.

—¡David! Prométeme que no vas a cometer una estupidez. No lo soportaría si algo te fuera a suceder.

—Quizás si me sucediera algo, entrarías en razón —la besó de nuevo, fuerte, acercándola hacia él tanto que aplastó sus senos contra su pecho.

—¡Ay! ¡Ya basta! —se soltó ella y bajó del coche.

—No puedo esperar eternamente, Lidia. No estoy seguro si puedo esperar aunque sea un par de semanas. Te amo y te deseo. Fuimos buena pareja. Quiero que lo seamos de nuevo.

—Gracias por la vuelta. Realmente jugaste de maravilla esta noche. En el campo de futbol —dio un portazo.

—¡Lidia! —gritó—. ¡No voy a esperar mucho más tiempo!

Él sacó el coche de la entrada y aceleró calle abajo. Lidia caminó enojada hacia la casa, con ganas de gritar. Pero había llegado tarde, la casa estaba oscura, y de tener mucha suerte, podría meterse sin despertar a su padre y así evitar otro enorme pleito.

Se quedó sobre la veranda un momento, tratando de calmarse. ¿Cuál era el problema de David? Lo amaba. Ya le había 'mostrado' sus sentimientos. Y lo volvería a hacer.

Pero no hasta que pudiera escaparse de su papá para ir a la clínica en Del Río. En un lugar donde no la conocían. Donde no dirían nada a su padre. Donde le podrían dar protección para que el hecho de amar a David no significaría estar atrapada en Río Verde toda la vida.

Se quitó los zapatos antes de meter la llave en la cerradura. Raro, la barra del seguro ya estaba abierta. Movió la llave a la manija y calladamente le dio la vuelta. Atravesando la entrada, empezó a caminar de puntillas por el pasillo en dirección de su cuarto cuando se prendió la luz de la sala.

—Has llegado tarde, Lidia —Javier dijo friamente, levantándose del sofá para caminar hacia ella—. Extremadamente tarde.

—Y tuviste que esperarme despierto, ¿verdad? Tuviste que pescarme. No pudiste tener confianza en mí, en que sé lo que hago.

—Las reglas de la casa son…

—Al demonio con tus reglas. Ya casi tengo dieciocho años. Hubo un baile esta noche.

—Del cual saliste temprano.

—Y, ¿cómo lo sabrías tú? ¡Estabas demasiado ocupado haciendo el ridículo con la doctora Sánchez!

—Ya basta, jovencita. Estás castigada.

—¡Nada más inténtalo! —gritó ella, volteando para salir por la puerta.

Javier extendió la mano para detenerla por el hombro, pero ella fue demasiado rápida. Salió como rayo por la puerta, dando un portazo tras ella. Las ventanas de la sala temblaron.

Corrió hacia la puerta, ignorando el dolor pulsante de su muñeca. La abrió, y corrió para afuera.

—Lidia, ¡por el amor de Dios! Si tú y ese muchacho… no hagas nada de lo que te vas a arrepentir.

Pero ella no lo escuchó. Había arrancado la camioneta de él con el acelerador hasta el piso, y arrancó con un estruendo tan fuerte como el rugir de un león. Un segundo más tarde iba calle abajo, dejando atrás olor a hule quemado y a él sin manera de seguirla.

Javier abrazó su brazo lastimado cerca de su cuerpo y abrió la puerta principal con una patada. No volvería a dormir esta noche. Y lo pagaría muy caro mañana.

CAPÍTULO CINCO

¡Ya! Bel dobló una tira de alambre alrededor de una bolsa negra de basura. Era lo último que quedaba de las cosas de la señora Montoya. Las llevaría a la casa de Javier dentro de una hora cuando fuera a discutir el presupuesto de la clínica.

Había pasado el último día vaciando armarios, alacenas y tocadores en el departamento sobre la cochera de Javier. Al limpiar, había desempacado sus propias cosas, y finalmente estaba sintiéndose en casa. Lo único que le quedaba por hacer era pasar la aspiradora y sacudir.

Le agradaba tener una vivienda propia de nuevo. Diez días de vivir en hoteles la habían cansado. Ya había gozado el lujo de tener su propia cocina, preparando sus propios huevos y taza tras taza de relajante té verde.

Todavía tenía serias dudas respecto a vivir en el jardín de Javier, sin embargo. Especialmente después del… evento… del viernes en la noche.

Treinta y seis horas más tarde, todavía no se había recuperado del todo de la manera tan imperiosa en que él había cortado a Jack, ni de su promesa de volver a comenzar de nuevo. Ni tampoco de la escena sofocante en su recámara y el asunto tan real de la ética profesional.

Todo lo acontecido la había dejado girando fuera de control, y durante los últimos dos días, había estado preguntándose que si había sido muy sabio de su parte dejar que Javier se entrometiera en su vida personal.

Después de todo, era su paciente. De hecho, era su jefe, en cierto modo. El despertaba sentimientos en ella que ella no conocía ni comprendía, y a ella no le agradaba eso en lo más mínimo. Estaba acostumbrada a tomar el mando, aconsejando, consolando, hasta ordenando. Era su trabajo. Era parte de la manera en que ella misma se definía.

Pero con el simple contacto con Javier Montoya se le habían desaparecido todas esas cualidades. Ella había olvidado todo entre su brazos... la ética, la moral, su juramento a sus pacientes. Había olvidado todo, menos lo sabroso que se sentía al tenerlo contra ella y como deseaba más. Más besos. Más de su pasión. Más de él.

Pero hoy no podía permitirse ese lujo. Tenía que mantener el control. Esta junta era importante; era la base de todo lo que necesitaba y de lo que quería hacer en Río Verde.

Se recordaba una y otra vez que ella era la doctora. Ella manejaba la clínica, y nada más ella sabía lo que necesitaba. Ella ordenaba. No Javier. No la mesa directiva. Ella.

Vio el reloj en la pared de la sala. Apenas tenía tiempo para terminar de limpiar. Ahora, ¿dónde había visto esa aspiradora? Encontrándola en la despensa, la enchufó y empezó a trabajar.

Primero limpió la alfombra de la sala, y luego colocó un cepillito redondo a la manguera. Nadie había vivido en el departamento en casi tres años, y los muebles y cortinas necesitaban una buena limpiada también. Empezó con el cojín del banco de la ventana, siguiendo al sillón frente a la televisión, y luego atacó el sofá.

Sacó el primer cojín del armazón y aspiró polvo viejo y cabello que estaba metido hasta abajo. Pasó el cepillo sobre cada lado del cojín antes de volver a ponerlo en su lugar para sacar el segundo.

La aspiradora hizo un ruido extraño al aspirar un pedazo de tela demasiado grande para pasar por el tubo metálico. Bel apagó la máquina con el pie y sacó un pedazo de encaje negro del cepillo.

Era un sosten. Y no se parecía en nada a los sostenes que Bel había sacado del armario. Era mucho más chico, para empezar. Y mucho más sensual, en segundo lugar.

Bel habría apostado que no era de la señora Montoya. Lo más probable era que perteneciera a Lidia. O a una de sus amigas. Lo cual sugería que alguna adolescente había estado en el departamento de la señora Montoya quitándose el sosten.

Bel meneó la cabeza, pensando que Javier estaba equivocado. Estos muchachos necesitaban educación sexual. Y quizás anticonceptivos. Él no podía desear que arruinaran sus vidas por sus hormonas.

Ella dobló el sostén, lo puso a un lado y continuó limpiando. En la recámara, levantó la colcha para ver abajo de la cama. Había mucho polvo, y …

Otra prenda de ropa interior. Bel extendió la mano y sacó una pantaleta de seda azul.

Bueno, ¿no era eso maravilloso? Alguien estaba disfrutando del sexo, o algo bastante parecido, en este departamento. Pero, ¿quién? ¿Lidia? ¿Alguna de sus amigas? Javier, quizás, ¿si quería ser discreto?

Y, ¿qué debería hacer ella? ¿Hablar con alguien? Y si hablaba con alguien, ¿con quién? Javier se volvería loco si la ropa interior era de Lidia o de una de sus amigas. Estaría… apenado por lo menos, ella sospechó, si pertenecían a alguna conocida de él. Especialmente después de la noche del viernes.

Tocó la parte superior del encaje de la pantaleta. La tela era tan suave y lisa, como el cuerpo joven que habría cubierto. Ella casi puso ver la escena ante ella; jóvenes amantes ardiendo en mutua pasión, ansiosos y listos.

Como por voluntad propia, su mente cambió de escena. De repente, Javier estaba sobre esa cama. Y ella también. Podía sentir la presión del beso, el peso de su cuerpo, la intensidad de la pasión justo antes de que explotara...

"¡Basta!", se reprimió sola. No se trataba de ella con Javier, bajo ninguna circunstancia. Se trataba de lo que había encontrado, y si Lidia era o no sexualmente activa.

Pobre Lidia. Apenas mujer, con novio formal, un padre difícil y sin madre. Javier tenía más derecho de preocuparse de lo que él se imaginaba.

De alguna manera, Bel tenía que hacerle llegar estas cosas a Lidia discretamente, y asegurarse que estuviera protegida.

El sexo entre adolescentes jamás era bueno. Pero casi no había nada en el mundo más fuerte que las hormonas en lo adultos jóvenes. Y una vez que el adolescente había decidido ser sexualmente activo, lo mejor que podía hacer un adulto era ver que tuviera la información y los métodos para protegerse de las enfermedades o embarazos. Nada podía arruinar una vida joven peor que éso.

Lidia merecía algo mejor, y Bel era la persona más adecuada para ver que lo lograra.

Colocó la pantaleta sobre la cama y terminó de aspirar. Tendría justo el tiempo suficiente para guardar las cosas y cambiarse antes de ir a ver a Javier.

Y a su hija.

Veinte minutos más tarde, dos bolsas de basura en la mano y su portafolios colgando de su hombro, Bel tocó a la puerta principal de Javier. Respiró hondo y esperó, preguntándose como le afectaría verlo esta vez. No temía su reacción, pero estaba un poco nerviosa. Temblorosa.

Decidió que estaba nerviosa por la pequeña bolsa de plástico en el bolsillo de su saco, y no por Javier.

Pero no era toda la verdad. Ella no sabía como reaccionaría al volver a verlo en territorio de él, y la inseguridad la perturbaba.

—Bienvenida —dijo Javier, su voz un poco grave, al abrir la puerta—. Bienvenida. Una doctora que da consulta a domicilio. Ya verás cuando se corra la noticia por todo el pueblo.

Bel atravesó la entrada hacia el recibidor, depositando las bolsas de basura sobre el piso de terrazo, mientras Javier colocaba una mano sobre el hombro de ella para besar sus dos mejillas. Fue tranquilo y sencillo, y no como los besos de película que le había dado antes, pero de todos modos, ella sintió una carga eléctrica que pasó por todo su ser.

Calmada, organizada, en control, se recordó, tomando un paso lateral.

—¿Qué es todo eso? —preguntó, mirando las bolsas de basura.

—Cosas del departamento. Ropa y artículos personales.

Él frunció el ceño.

—Lidia tenía que haber limpiado hace mucho. Bueno, lo veré después. Pasa, por favor.

La guió hacia la sala e indicó que se sentara sobre el sofá mientras el se sentó a contraesquina. Sobre la mesa central había un montón de papeles y el libro mayor de la clínica. Excelente, pensó ella. Podían discutir todo de manera profesional.

—¿Cómo te sientes? —dijo Bel, porque tenía que empezar en alguna parte, y la pregunta la hacía recordar que tenía responsabilidades médicas.

—Todavía me duele —admitió Javier, sonriendo de manera traviesa—. Pero me imagino que todavía puedo enseñarte el presupuesto.

Bel levantó la barbilla ante el reto implícito, decidida a no caer en la trampa de la sonrisa sensual de

Javier. Abriendo su portafolios, sacó sus propios expedientes y papeles.

—Voy a empezar con lo siguiente —empezó—. El doctor Rodríguez me dijo antes de venir que las condiciones del laboratorio en la clínica eran bastante pobres. Pero son peores que pobres. No puedo hacer nada; ni análisis de sangre, ni muestras de orina, ni radiografías, ni cultivos. Ni siquiera tenemos un equipo de soporte de vida. El doctor tenía que haber estado trabajando a ciegas la mayor parte del tiempo, recetando cosas que pensaba que funcionarían sin confirmar un diagnóstico con pruebas. No es científico y puede desperdiciar días de valioso tiempo de tratamiento.

—¿Y?

—Necesito un laboratorio que funcione. El tener que mandar cada muestra fuera compromete la atención médica. Entre más pronto el resultado, más pronto puedo comenzar el tratamiento para la pronta recuperación del paciente. Pero si tengo que mandar todo a Del Río, o la gente tiene que manejar ciento veinte kilómetros y de regreso, bueno, entonces la mesa directiva no cumple con su deber porque el condado no tendrá un servicio médico adecuado.

Hizo una pausa, respirando un poco más rápido. Siempre se emocionaba al hablar de estas cosas, y a pesar de la noche del viernes, todavía se sentía un poco defensiva cerca de Javier.

Javier recogió el libro mayor y lo estudió cuidadosamente. Después de un momento, habló:

—¿Tienes una lista de lo que quieres?

De un expediente, ella sacó una hoja de los apuntes que había hecho el viernes y la entregó a Javier. Tembló un poco cuando él la tomó, como si estuviera entregándole una parte de sí misma, y no una simple lista.

—Parece que es mucho, pero es lo que necesito. No estoy pidiendo un asistente técnico. La enfermera y yo podemos hacer todo solas por el momento. Nada más necesito el equipo.

—Es una lista muy larga —dijo Javier, silbando.

—Es una clínica grande.

Él siguió viendo entre el libro mayor y la lista. Finalmente habló:

—Del presupuesto de la clínica, quizás mil dólares.

—Con eso, ¡ni alcanzará para los reactivos!

Ella arrebató las hojas del libro mayor de las manos de Javier y las estudió. Las matemáticas jamás habían sido su fuerte, pero ésto estaba calculado de una manera bastante clara. Mantenimiento de la clínica, sueldos, seguro, pago de la deuda; sumaba una cantidad bastante fuerte. Y por el otro lado estaban los haberes: ingresos de la clínica, más los subsidios del condado y federales.

—¡Estamos operando con déficit! —exclamó ella—. ¿Por qué no me lo dijeron?

—No era tu problema. Era problema de la mesa directiva, y el doc ayudaba a mantener los costos bajos. Y ahora, te toca a ti.

—Entonces, ¿debo ejercer sin equipo ni opciones de tratamiento? No es aceptable —espetó ella. Pensó un momento, repasó lo números ante ella de nuevo—. ¿Y el sueldo del doctor Rodríguez? Tiene que haber algo ahí.

Javier negó con la cabeza. La mesa directiva compró su consultorio hace algunos años porque una clínica manejada por el condado nos calificaba para muchos programas del gobierno. Así es como conseguimos que vinieras tú. Pero ése compromiso es pagadero a varios años, y él no sacaba sueldo aparte de éso.

—Entonces, ¿ésto es todo? ¿Todo el presupuesto?

Javier asintió con la cabeza.

Ella aventó el libro mayor sobre la mesa.

—Y, ¿dónde conseguimos más dinero? Porque el laboratorio tiene que funcionar.

—Puedes suplicar al consejo de la ciudad. Pero te advierto, el dinero de los impuestos ya está comprometido. La única fuente de fondos discrecionarios es la Fiesta, y faltan otros dos meses para que pase.

—¿Fiesta?

—La batalla de Río Verde. Sucedió durante la guerra de independencia de Texas. Cada año, montamos una obra sobre la batalla, hay una carrera, y el zócalo se llena con vendedores de comida y artesanías. Normalmente hay una ganancia para el pueblo después de los gastos.

—Y, ¿qué tipo de presentación tengo que hacer para conseguir una porción para la clínica?

—Llama a Luis Torres. Es el presidente del consejo. A ver si te puede meter en la agenda para el mes que viene.

Ella no podía creer lo que estaba escuchando.

—¿En un mes? —lloriqueó.

—Y de todos modos, no recibirás el dinero antes de diciembre.

—Jamás nos enseñaron a recaudar fondos en la escuela de medicina. ¿A dónde va uno a conseguir dinero? —tambaleó los dedos impacientemente sobre su portafolios—. Quizás pudiera patrocinar un puesto la clínica. Hacer alguna revisión para la salud, para que la gente sepa lo que se necesita.

—¿Pedir donativos?

Ella se encogió de hombros.

—¿Por qué no? No puedo trabajar sin laboratorio.

—El doc lo hacia.

Bel se tensó. Las comparaciones eran inevitables, ¿pero tenía que lanzar la primera Javier tan pronto después de haber hecho las paces?

—Él era de otra generación —dijo friamente—, yo dependo de la ciencia.

—Isabel, estoy de tu lado. De veras. Si falla la clínica, igual falla Río Verde. De hecho, la clínica es uno de los factores más importantes para nuestro futuro desarrollo económico. Al ofrecer buenos servicios médicos, tenemos más oportunidad para que los grandes negocios quieran establecerse aquí. Ése es mi trabajo, por si no lo sabías.

—Y, ¿que me cuentas de los negocios? —dijo, repentinamente pensativa—. Quizás algunos de ellos puedan patrocinarnos. Y las compañías farmacéuticas hacen casi todo lo que necesito. Nada más tengo que convencerlos que me regalen todo.

—Y ellos, ¿qué reciben a cambio?

—Que nombremos el laboratorio, o hasta la clínica, por el donador más importante. Ellos pueden usarlo como publicidad, para que parezcan buenos ciudadanos corporativos. De hecho ya nos regalan muestras y provisiones; esto sería simplemente un paso más. Después de la inversión inicial, probablemente podamos financiarlo nosotros mismos —sus ojos brillaron con emoción—. Javier, ¡esta puede ser la solución!

—Tranquila, Isabel. La mesa directiva tiene que decidir la manera en que adquieras las cosas.

—¿Perdón? Es exactamente lo mismo como si yo trajera mi propia centrífuga para mi consultorio privado. Yo personalmente adquiriré todo lo que pueda y lo dono a la clínica. ¡A mi me parece bastante simple!

—Tienes que andar con pies de plomo. Empieza con el dinero de la Fiesta, un puesto si insistes. A ver que puedes conseguir de tu lista de deseos con eso. Pero no trates de sacar donativos corporativos sin exprimir todas las fuentes locales primero. Aquí tratamos de ser auto-suficientes. Dale un poco de tiempo al tiempo.

—Tiempo es lo único que no tengo. Yo debería estar pidiendo equipo en este momento. Cada día que me demoro significa un día más en que mis pacientes no reciben la atención médica que merecen —levantó la voz por la frustración, y lo miró con expresión rebelde.

—¿Qué quieres que haga, Isabel? Simplemente no hay dinero.

—Consíguelo.

Él sacudió la cabeza.

—Siempre trato de conseguirlo; para caminos, escuelas, la clínica, servicio de basura, todo. Tendrás que esperar tu turno como todos los demás.

—¡Yo no estoy hablando de baches! —ahora estaba realmente enojada—. Estoy hablando de la vida de la gente. Voy a buscar los fondos, y a conseguirlos, no voy a esperar.

—¿Podrían bajarle un poco, Papá? —gritó Lidia al pasar furiosa por el pasillo—. Estoy tratando de trabajar.

—Nosotros también, Lidia —dijo Javier secamente—. Creo que deberías ofrecer una disculpa a la doctora.

Se vio apenada al darse cuenta que Bel estaba sentada en el sofá.

—Perdón —dijo, al dar media vuelta para regresar a su cuarto.

—Lidia —la llamó Bel—. ¿Puedo hablar contigo cuando termine con tu papá?

—Sí —se oyó la respuesta, antes de que cerrara con llave su puerta.

Bel volvió su atención hacia Javier:

—Así que... tengo mil dólares para gastar. Cualquier otra cosa tendré que mendigar. ¿Así es?

—Yo no lo pondría exactamente así, pero sí, atinaste en cuanto a los números.

—Está bien, entonces ya acabamos aquí —alcanzó las listas que todavía tenía Javier, y el agarró la mano de ella, sosteniéndola.

—Isabel, no es personal esto —dijo gravemente—. Te daría todo lo que quieras para la clínica si pudiera. Pero no hay dinero. Una comunidad pequeña siempre tiene más necesidades que fuentes de ingreso. Así es la vida.

—Y la muerte —la mano de él apretó la suya cuando ella trató de zafarse—. Puede hasta morir la gente —dijo deliberadamente.

—Y para evitarlo te tenemos a ti.

—¿Cómo puedo dar lo mejor de mi misma sí...? —trató de quitarle la mano de encima, pero Javier nada más se acercó a ella y colocó su brazo sobre el hombro de ella, inclinándole la cabeza para que la descansara en el hombro de él.

—Tranquilízate —le acarició el cuello con su mano sana—. No ayuda emocionarse. Aunque de verdad te hace, pues... muy atractiva —le plantó un beso sobre la parte superior de su cabeza—. Jamás supe que podría ser tan agradable mezclar los negocios con el placer.

—¡Javier! —ella trató de zafarse de nuevo, pero Javier la tenía atrapada contra el descansabrazos del sofá—. ¡No puedes hacer esto!

Pero continuó consolándola y tranquilizándola.

—Hablo en serio —dijo fuertemente, empujándolo y levantándose.

Javier levantó la mirada para verla, curioso.

—¿Qué te pasa, Isabel? Esta discusión es nada más de negocios, ¿sabes? No tiene nada que ver con... nosotros.

—Javier, no puede existir un 'nosotros' si eres mi paciente.

—Bueno, entonces o tenemos que conseguir que venga otro médico muy pronto o yo iré a otra parte. Porque definitivamente existe un 'nosotros,' Isabel. No trates de negarlo.

La acercó a su lado en el sofá, inclinándose para besarla. Este beso no se pareció en nada al rápido beso de saludo. Este fue una repetición de la noche del viernes en su recámara, caliente, ansioso, duro. Como un hombre besa a la mujer que desea.

Levantándola, la acercó más a él, de modo que estuviera acurrucada contra su pecho muscular. Al profundizar el beso, los senos de Bel se arrugaron indefensos ante la sensación de Javier contra ella, tocándola.

La cubrió de besos, recorriendo su boca, su mejilla, hacia su oído y luego a lo largo de su cuello. Su piel era suave, con sólo un poco de barba, y su aliento era cálido y picante, oliendo a comino y chiles.

Él deslizó su mano buena bajo su chaqueta y hacia su espalda, encontrando el borde de su suéter y meneando la mano para tocar la suave y cálida piel desnuda.

Las chispas entre ellos eran muy reales. Ella no podía pensar, y mucho menos respirar cuando la tocaba. Y no podía rehusársele.

Movió su mano sobre la espalda de ella y recorrió sus costados, acariciando la suave redondez de sus senos al abrazarla contra él.

Sonó el tintineo de un reloj, y Javier la miró intensamente.

—Cuando regateé los términos de mi contrato, no conté con esto —suspiró ella.

—Pensé que no regateabas.

—Y no lo hago. Quizás me esté influenciando Río Verde.

—Sí —él le sonrió, una sonrisa enorme que convertía todas sus facciones en foto para la portada de la revista Gente para el ejemplar que anuncia al Hombre Más Sensual del Mundo—. Deberías venir con una advertencia, doctora. Picante, pero sabrosa.

Ella lo vio con expresión de curiosidad.

Él parecía actuar de modo ambiguo. Hacía tres días que había estado absolutamente seguro que Isabel no era lo que buscaba el pueblo. Ahora no estaba tan seguro.

Él ya no estaba seguro de lo que quería. Pero sabía que quería a Isabel.

—¿De qué querías hablar con Lidia?— preguntó, cambiando el tema tan disimuladamente como pudo.

—Es que encontré unas... cosas en el departamento. Nada más quise, este, devolvérselas.

Sería su imaginación, pero, ¿sonaba un poco forzada la respuesta de Isabel?

—Yo se las doy. Para no interrumpirle al hacer su tarea.

—No importa —dijo ella rápidamente—. Necesita un descanso, y yo también.

Antes de que él pudiera decir cualquier otra cosa, Isabel se había levantado y había caminado por el pasillo para luego tocar la puerta de Lidia.

Bel pensó que el papá de Lidia había estado a punto de enterarse, cuando Lidia abrió la puerta para dejarla pasar. Javier no tenía que estar involucrado hasta que ella se enterara de que era lo que sucedía. No tenía sentido causar problemas si estaba equivocada.

Y si no estaba equivocada, entonces sobraba bastante tiempo para los fuegos pirotécnicos.

—Hola. Pase a platicar un rato —dijo Lidia, cerrando la puerta tras de ella.

—Hola —vio alrededor del cuarto. Era el típico cuarto de una adolescente, desordenado, con montones de libros y papeles tirados sobre la cama y sobre el escritorio, y otro montón de ropa cerca del armario. Media docena de carteles con poses de actores populares de la televisión estaban pegados a la pared, y sobre su mesita de noche había una pequeña foto enmarcada de Lidia en la que ella tendría unos tres años, en brazos de una mujer bella de cabello oscuro. Javier estaba parado al lado de ellas abrazándolas a las dos.

Su madre, sin duda alguna. Muy joven. Y ahora ausente. Bel se preguntaba cómo.

—Mire, discúlpeme ... si grité. No sabía que era usted.

—No importa. La verdad es que la discusión ya estaba un poco escandalosa —sonrió. De varias maneras.

Y por eso le costaba trabajo comenzar esta plática con Lidia. Pero nada más un poco. Bel sabía como cuidarse si ella y Javier progresaban más allá de los besos. Quería estar segura que Lidia también lo supiera.

Lidia estaba mirándola, esperando. Bel respiró hondo y habló lentamente.

—Estaba yo limpiando el departamento, y encontré unas cosas que pueden ser tuyas —sacó la pequeña bolsa de plástico del bolsillo de su saco y la entregó a Lidia.

Lidia la volteó. Tenía que haberlo reconocido, pero durante un largo momento no dijo nada. Luego se encogió de hombros.

—Debo haberlo dejado durante una de aquellas noches cuando visitaba con Mamá Rosita.

—¿Hace tres años? —dijo Bel con naturalidad—. No me parecían tan polvorientos, ni tan viejos.

Lidia metió la bolsita en un cajón de su armario, y se quedó ahí, dándole la espalda a Bel.

—¿Qué es lo que está preguntando?

Bel decidió ser franca.

—A mi me parece que estás experimentando con el sexo. Es el momento más común para que alguien se quite la ropa interior y la deje en alguna parte.

—Pues no es eso, ¿entendido? Yo no se como llegó ahí.

—Encontré una prenda abajo de la cama, y otro entre los cojines del sillón. Lugares comunes.

—¿Comunes para qué? —Lidia volteó y caminó hacia el centro del cuarto. Recogiendo un libro de texto de su cama, lo abrió.

—Para… experimentar —Bel esperó un momento, pero Lidia no dijo nada. Ni siquiera vio a Bel a los ojos, nada más siguió viendo el libro abierto. Así que Bel continuó:

—Lidia, el sexo entre los adolescentes no es buena idea. Hay tantas presiones y cambios tomando lugar a tu edad, que es mejor esperar par la … intimidad. Pero si no has esperado, y si tú y David, ¿así se llama?, ya están metidos en una relación íntima, entonces quiero estar segura que te estés cuidando. Soy médico, me preocupo por ese tipo de cosas.

—No soy una niña —cerró el libro.

—No, eres casi una mujer. Biológicamente lo eres. Y necesitas pensar como mujer si vas a portarte como mujer. La actividad sexual lleva consigo algunos riesgos.

—Sí, sí.

Bel persistió:

—En la lista, destacan la enfermedad y embarazo. Cualquiera de esas dos posibilidades pueden hacer de tu vida, o de la vida de David, una miseria.

—Y la abstinencia precluye las dos cosas. Lo he oído antes. Mi papá jamás deja de sermonearme —dijo Lidia.

—¿Por qué crees que lo hace?

—No se necesita un doctorado en matemáticas para saber que yo estaba presente cuando se casaron él y mi mamá.

—Ah —eso era novedad para Isabel—. Eso no tiene por que sucederte a ti. Puedes protegerte.

—Y usted puede ayudar —Lidia parecía burlarse.

—Si me lo permites.

—Nada más se lo diría a mi padre.

Ahora estaban progresando.

—Confidencialidad entre paciente y médico, ¿te acuerdas?

—Soy todavía menor de edad, ¿se acuerda?

—Eso no importa. No hay ninguna ley en Texas que requiera notificación a los padres.

—Bueno, cumpliré dieciocho en diciembre. Entonces no importará en lo más mínimo.

—Lidia, para éso faltan varios meses. Por favor, no tomes riesgos con tu salud. Tampoco con tu futuro. Si eres sexualmente activa, entonces, sé responsable y déjame ayudarte. Es lo único que estoy pidiendo.

Lidia miró a Bel de reojo. Asintió con la cabeza una vez, apenas perceptiblemente, y Bel tuvo que conformarse con éso.

—La clínica abre mañana —dijo Bel, cambiando el tema. Ya había dicho todo lo que podía sobre el otro tema. Obviamente, había que dejar tiempo al tiempo—. ¿Todavía estás dispuesta a ayudarme?

—Sí —dijo titubeante.

—Que bueno. Entonces, debes de venir a finales de la semana para platicar sobre lo que puedes hacer.

—Está bien —su cara pareció iluminarse un poco, viéndose menos desconfiada y hostil—. Si mi papá me levanta el castigo algún día.

—¿Cuál castigo?

—Llegué muy tarde el viernes.

—Y despertaste a tu padre.

—Me estaba esperando —dijo Lidia, poniendo los ojos en blanco.

Bel frunció el ceño.

—Estaba dormido cuando... Le dije que descansara. Parece que podría aprender a obedecer órdenes.

—Nada más sabe darlas.

—Lo he notado —y eso, pensó Bel, era todo lo que podía hacer hoy—. Hablaré contigo más tarde, Lidia. Me da gusto que vayas a trabajar conmigo.

Caminó a la puerta y puso su mano sobre la manija para abrirla.

—¿Qué hay entre usted y Papá? —preguntó bruscamente Lidia—. Primero quería despedirla, y luego hubo esa escena en la escuela, y ahora...

—Decidimos darnos mutuamente otra oportunidad —dijo Bel tranquilamente, abriendo la puerta—. Quizás tú y él deberían hacer lo mismo.

Lidia bufó y luego apretó los dientes. Javier estaba parado en la puerta, sosteniendo una bandeja con latas de refresco y hielo con su mano buena.

—La doctora dijo que necesitabas un descanso —dijo Javier—. Esto podría ayudarte a seguir por la tarde.

Bel echó una mirada a Javier, luego a Lidia y de nuevo a Javier. Había estado escuchando en la puerta, ¿esperando una oportunidad para interrumpir?

Sin decir palabra, Lidia agarró una lata y un vaso con hielos, y lo colocó sobre su escritorio.

—Yo tengo que terminar mi tarea. Gracias por traer las cosas, doctora. Ni siquiera supe que había dejado esa pulcera —enfatizó la mentira.

—Nos vemos —pero la despedida de Bel fue cortada al cerrar Lidia la puerta tras de ella.

—¡Lidia! —Javier empezó enojado, pero Bel levantó una mano para callarlo.

—Está bien. Ya habíamos terminado.

—¿Una pulcera? —preguntó él, regresando a la sala.

—Es lo que dijo —era lo más cerca de una mentira que ella estaba dispuesta a decir.

Él colocó la bandeja sobre la mesa de centro y volteó hacia Bel, sus ojos brillando.

—¿Cuándo decidiste que Lidia iba a trabajar en la clínica? ¿Y cuándo pensabas decírmelo?

—¡Estabas escuchando tras la puerta! —exclamó enojada, sus sospechas confirmadas.

—No. Pero tardaste mucho, así que pensé que sería buen anfitrión.

—¿Y por pura casualidad oíste nuestra plática? ¿Qué más escuchaste? ¿La parte donde me dijo que la habías castigado? ¿Después de dejarte dormido con órdenes que te quedaras ahí? ¿No escuchas a nadie aparte de ti mismo?

—Pensé que habíamos decidido que ya no eres mi médico, Isabel...

—¡Lo era esa noche! Y necesitabas descansar, no pelear con tu hija adolescente.

—Bueno, lo hice —dijo furiosamente—. Peleamos todos los días. Es obstinada y terca e intrépida, y me vuelve totalmente loco. ¡Es idéntica a su madre!

Se detuvo bruscamente y le dio la espalda, como si estuviera horrorizado porque había dicho demasiado. Eran asuntos de familia, y no deberían ser airados con extraños. Aún extraños que pudieran comprender la naturaleza humana y dinámica de una familia.

Bel puso una mano sobre su hombro.

—Quizás deberían pasar ustedes un poco más tiempo separados.

—¿Separados?

—Están en la escuela juntos, están en la casa juntos. Jamás tiene ella tiempo sin estar contigo. Por eso le haría bien trabajar en la clínica. Todas somos mujeres ahí. Podría ser exactamente lo que necesita.

Lidia necesitaba la influencia de mujeres. Javier lo sabía. Él lo había sabido desde que murió su madre, y aún antes, cuando Linda los había abandonado. Era nada más uno de los motivos por lo que peleaban tanto; habían cosas que una adolescente simplemente no podían platicar con su padre, y la frustración se extendía hacia el resto de su vida.

¿Pero Isabel? ¿Qué clase de influencia podría tener una mujer que besaba como Isabel? ¿Una mujer que tenía una pasión quemando casi a flor de piel? Cuya mente estaba llena de ideas y valores que eran tan diferente a los suyos, de los valores que estaba tratando de inculcar en Lidia.

Iba a darle una oportunidad a Isabel con él. Y aún con el pueblo. Podría esperar para ver si podía ella adaptarse a las costumbres y cultura de Río Verde. Pero no podía tomar riesgos con Lidia.

—Mala idea —dijo cortante.

—Ella quiere saber algo de la profesión médica. Aprendería los dos lados en la clínica; de doctor y de enfermera. Estará supervisada, y tendrá que ser responsable y —jugó Isabel su as en la manga—, reduciría el tiempo que pueda pasar con David.

La mujer era demasiada perceptiva para su propio bien. Y para el de él. Sin embargo…

—Si quieres castigarla de noche, adelante. Manténla en casa durante los fines de semana. Pero ella necesita hacer esto, Javier. Quiere hacerlo. A veces hay cosas que tienes que permitir.

Él no contestó.

—Platícame de su madre. Tu esposa.

Silencio.

—Vi la foto sobre la mesita de noche de Lidia. Era hermosa, Javier.

—Nos abandonó cuando Lidia tenía cuatro años. Era demasiado para ella, casada y madre a la edad de dieciocho años. Siempre soñó con una vida elegante y excitante, en lugar de ver que la vida era buena aquí, también.

—Y ¿qué pasó?

—Se fue a Dallas y se metió de modelo. Fue bastante exitosa, pero Lidia jamás comprendió por qué su mamá nunca regresó. Creo que me culpa a mí.

—¿La ve Lidia ahora?

Él meneó la cabeza.

—Ella murió unos años después. Se pasó un alto durante la hora pico de tráfico, y llegó su fin.

—Lo siento.

Él se sacudió la mano de ella de su hombro.

—Es historia antigua.

—Pero todavía le afecta a Lidia.

Él no dijo nada.

—Javier —intentó Bel de nuevo—, si va a existir un 'nosotros,' Lidia debe de ser parte de ello. La clínica es importante para ti. Es mi vida. Deja que ella comparte eso con nosotros.

Dios, no podía ser buena idea. Isabel y Lidia juntas podrían ser una mezcla absolutamente explosiva.

Sin embargo, tampoco estaba funcionando ninguna otra cosa. De ser honesto consigo mismo, estaba a punto de perder a Lidia. Era tajante, belicosa y malhumorada. Se había fugado de la casa la otra noche, sin regresar hasta el amanecer.

Sus instintos decían que no. Su intuición decía que esperara.

Su voz dijo:

—Está bien.

CAPÍTULO SEIS

La señora Gómez está en el cuarto número dos —dijo Alicia Madrigal, la enfermera de la clínica, al pasarle el expediente de la señora Gómez a Bel—. Ire en cuanto termine de tomar los signos vitales del señor Stevens.

Bel tocó a la puerta y entró. Sonrió y dijo:

—Buenos días, señora Gómez. ¿Cómo se siente hoy?

—Mucho mejor, doctora —la señora Gómez sonrió ampliamente, su cara arrugada reluciente. Era diabética, y hacía un mes había llegado a la clínica a punto de coma. Bel y Alicia la habían cuidado toda la noche y hasta la mañana siguiente lograron estabilizarla.

Y luego Bel la había impuesto una dieta mucho más estricta que la que había recomendado el doctor Rodríguez. La señora Gómez se había quejado al principio diciendo que era molesto todo éso de medir y planear todo lo que comía… ¡aparte de las inyecciones! Sin embargo, ahora estaba contentísima.

—Tengo tanta más energía; ya puedo lidiar con mis nietos todo el día. Y ya no tengo sed todo el tiempo.

—Excelente. ¿Cómo siguen sus números?

La señora Gómez sacó una hoja de cálculo donde había puesto sus niveles de glucosa en gráfica durante las últimas dos semanas y la entregó a Bel. Alicia entró unos segundos después.

—Mm — Bel entregó la hoja a Alicia, quien la estudió un momento antes de devolvérsela—. ¿Ve usted estos picos, señora? Sus niveles de glucosa son demasiado altos aquí. Quiero que agregue una unidad más de insulina a la hora del desayuno para ver si podemos nivelarlos.

Platicó unos momentos más con la señora Gómez, explicándole exactamente lo que debería hacer la medicina, para luego contestar sus preguntas.

—Bueno, doctora —dijo la señora Gómez—. Sabe, usted platica mucho más que el doctor Rodríguez. Siempre pensó que me iba a confundir, pero creo que comprendo más que lo que comprendía antes.

—Me agrada éso —Bel sacó una pluma y apuntó la indicaciones de la nueva medicina en un recetario. Nos vemos dentro de dos semanas. Quiero estar segura que hayamos nivelado esos picos.

Luego siguió con otro paciente, y otro.

Últimamente habían dado consulta a casi ciento cincuenta personas por semana. Era gratificador, pero fatigante. Algunos días Bel se preguntaba como había sobrevivido el doctor Rodríguez día tras día durante treinta y tantos años. Examinando, analizando, diagnosticando y aconsejando le exprimía por completo.

Ahora comprendió por qué jamás había redecorado la sala de espera. Apenas había tiempo para lo más esencial, mucho menos los lujos como la redecoración. Caray, el nombre del doctor Rodríguez todavía estaba pintado sobre la ventana de la clínica. Ella ni siquiera se había molestado en agregar el suyo.

Pero a pesar de las exigencias de la clínica, ella tenía aún más que hacer. Todavía faltaba lo de su laboratorio.

Javier todavía se negaba a soltar fondos del propio presupuesto de la clínica para el laboratorio, pero sí que había sido muy valioso para ella de otros modos. Cuando ella había pronunciado su súplica apasionada ante el consejo municipal, explicando lo que necesitaba y por qué lo necesitaba, él había sido su aliado fiel. Los miembros del consejo no se habían convencido antes de que Javier se levantara a hablar. Sus palabras, combinadas con las de ella, habían persuadido al consejo a votar diez por ciento de las ganancias de la Fiesta de este año para la clínica.

Mejor aún, habían aprobado su petición para operar un puesto de servicio médico durante el festival, dándole uno de los mejores locales en el zócalo, aparte de dejarla exenta de pagar la cuota normal, lo que también fue por obra y magia de Javier.

Sin duda, el alcalde estaba tratando.

Pero no era suficiente. Ella todavía estaba mandando más análisis fuera de la clínica que los que hacía ella misma, y la molestaba mucho tener que esperar días para resultados que podía haber sacado en dos horas.

Pero no veía como podría Río Verde proporcionar todo lo que ella necesitaba, y definitivamente dentro de la agenda que ella había fijado. Ella tenía que hacer más para equipar su laboratorio. Sólo cuando éso fuera realidad, podría atender los otros aspectos de su trabajo; los servicios para adolescentes, clínica de medicina preventiva para bebés, educación para la comunidad. Todo era parte del buen ejercicio de la medicina. Su trabajo.

El resto de la mañana pasó rápidamente, y para mediados de la tarde, Lidia había llegado a hacer su turno como voluntaria. Alicia rápidamente la puso a llenar los reportes de laboratorio y a sacar expedientes para el día siguiente.

—Sería fantástico tenerla otra tarde durante la semana —Alicia dijo en confianza a Bel—. Puede ser todo un paquete para Javier, pero aquí es una maravilla.

—Por supuesto —dijo Lidia más tarde, cuando Bel le había preguntado sobre la posibilidad de trabajar otro día—. Pero todavía estoy castigada en la casa. Tarea y quehaceres domésticos son mis únicas ocupaciones. Ah, y escuchar sermones, por supuesto.

Bel frunció el ceño. Tendría que volver a hablar con Javier. Lidia no podía ser domada con un fuete. De seguir así, a Javier le iba a salir el tiro por la culata.

Bueno, estás haciendo una fantástica labor aquí —dijo Bel halagadoramente—, tanto Alicia como yo te lo agradecemos.

—Me agrada dar gusto en algún lado —meneó la cabeza—. En serio, ¿qué es lo que ves en mi papá?

He ahí una pregunta interesante. Después de seis semanas, Bel tenía por lo menos seis respuestas. Primero, por supuesto, veía a Javier el hombre. Él que la llamaba con pasión y fuego, quien la deseaba y la hacía desearlo. De ese modo fundamental, entre hombre y mujer, que le quemaba la piel y derretía su corazón. El hombre quien la había forzado a abandonarlo como paciente para enfocar toda su atención en cuidarlo como hombre.

Luego veía a Javier el maestro, que la animaba casi todas las tardes a aprender español; vocabulario, gramática y conversación. Era bueno, también con un sentido de humor que a Bel la agradaba mucho, aunque al mismo tiempo exigía un esfuerzo del ciento diez por ciento de su parte.

Luego veía a Javier el entrenador, con él que se encontraba ella durante sus paseos matutinos corriendo a la orilla del río. También era exigente en ese campo, alternativamente forzando y animando a sus atletas a dar lo mejor de sí mismos.

Su pasión se derramaba sobre todos los aspectos de su vida. Como alcalde, como director de la clínica, era dedicado y acomedido, sin vacilar en su creencia en el hogar y en los valores familiares. Él adoraba a su pueblo, sus amigos y a sus estudiantes. Y ellos correspondían a su cariño.

Excepto por Lidia. Como padre, que era lo que más le importaba él, lo mejor que pudo lograr era ahuyentar a su hija.

—Antes era divertido —Lidia continuó—. Antes me llevaba a los mercados para regatear comprando juguetitos tontos para mí. Antes me dejaba tomar de su taza de café, aunque fuera unas cucharaditas, pero me sentía tan grandecita. Siempre trataba de compensarme por, pues usted sabes, como se fue mi mamá. Pero Dios, desde la muerte de mi abuela...

Bel pensó para si misma que realmente había sido desde que Lidia fue suficientemente grande y chula para atraer a los chicos.

—Y desde que empecé a salir con David —Lidia dijo, terminando el pensamiento de Bel—. ¿Por qué no puede entender que ya no soy una niñita?

—No, lo entiende perfectamente, Lidia —miró a la chica de cerca, recordando su última plática sobre lo mismo—. ¿Siguen bien tú y David? ¿No ha cambiado nada?

Lidia se encogió de hombros y siguió archivando expedientes.

—Estoy aquí para escuchar y para ayudar si puedo —reiteró Bel, y esperó.

Pasó un minuto y luego otro. Abruptamente, Lidia levantó la mirada.

—Está bien —dijo—. Mentí. David y yo estamos... pues acostándonos. O lo estábamos haciendo hasta que pensé que estaba...

—Embarazada.

La chica asintió con la cabeza, viendo hacia su escritorio.

—No lo estuve, nada más que tardó en bajarme la regla unos cuantos días más que lo normal, pero me asusté. Mi papá me habría matado.

Bel se quedó callada.

—No pude ir con el doctor Rodríguez para conseguir anticonceptivos. Nada más le habría dicho a mi papá. Y si no se lo decía él, el señor García de la farmacia se lo habría dicho. Yo me quise ir a Del Río para ver un médico ahí, pero siempre me andan castigando y si me vuelo clases, mi papá lo sabrá y...

Se le llenaron los ojos con lágrimas.

—Sabes, Lidia, la abstinencia es la mejor elección para una adolescente —dijo Bel, manteniendo neutral su tono de voz—. Así no hay complicaciones ni preocupaciones.

—Sí, pues ya no me funciona. Deseo a David y él a mi. Tengo casi dieciocho años —agregó rebelde.

—¿Qué pasará si se entera tu padre?

—No se enterará, ¡si no le dice usted! —respiró hondamente, tratando de controlar el temblor en su voz—. Mire, doctora Sánchez, no quiero acabar como mi madre. Ella lastimó a todo el mundo porque no pudo manejar lo que sucedió. Yo no quiero estar atrapada en Río Verde toda la vida. Por eso necesito su ayuda. Ahora bien; estaba engañándome, ¿o hablaba en serio?

—Hablaba en serio —dijo Bel suavemente—. Si no vas a escoger la abstinencia, la otra y mejor opción es una pastilla anticonceptiva de baja dosis. Así no tienes que recordarte de ponerte algo, ni que se rompa algo. No es sucio y no interfiere. Lo único que tienes que hacer es tomarla una vez al día.

—Pero necesito receta médica, ¿no?

Bel asintió con la cabeza.

—Y, ¿cómo compro la receta sin que García vaya con el chisme con mi papá?

Bel consideró sus opciones, preguntándose por que se sentiría tan... nerviosa. No debería ser difícil. Estaba entrenada para hacer esto. Lo había hecho cientos de veces durante su residencia. Y para chicos que probablemente se estaban rebelando contra los deseos de sus padres siendo sexualmente activos.

Pero se trataba de Lidia. La hija de Javier. El cual, de descubrir la verdad, estaría furioso con las dos.

Pero, ¿qué le quedaba? Lidia era la que contaba en esta situación. Era su vida, su decisión, y su responsabilidad. Y Bel tenía que protegerla.

—Podría dispensar las pastillas desde la clínica —Bel dijo lentamente—. Ya lo hago con otras drogas; antibióticos y cosas por el estilo. Tendría que ordenarlas, así que la gente en la farmacia sabría lo que estaba recetando, pero no para quien.

—Está bien —dijo Lidia—. Entonces, hágalo.

Dios... se sentía tan... falsa. Pero, ¿qué otra cosa podía hacer? Lidia le había dicho directamente que era sexualmente activa y que quería anticonceptivos. Era decisión médica, y si Javier se enteraba, simplemente tendría que aceptarlo. Bel simplemente estaba cumpliendo con su deber.

—Llamaré a la farmacia —dijo Bel, entrando a su oficina—. Alicia o yo personalmente las recogeremos hoy por la tarde. No te vayas a casa antes de verme.

Lidia levantó la vista y susurró:

—Gracias.

Estaba haciendo lo correcto. Bel lo sabía. Entonces, ¿por qué sentía esa sombra de alarma al marcar a la farmacia?

Tres días más tarde, Javier estaba caminando de la alcaldía hacia la clínica para recoger a Isabel. Iban a inspeccionar el puesto que había sacado a los porristas de la escuelas para el debut de la clínica en la Fiesta.

Y se le había hecho tarde porque mucha gente lo paraba en la calle para felicitarlo por tan brillante idea de traer a la doctora Isabel Sánchez a Río Verde.

—Yo no puedo aceptar el mérito —decía a cada uno—. Yo nada más quería más ayuda en la clínica, pero la doctora Sánchez fue idea del doc.

—Bueno pues, ella esta muy bien. Diferente del doc. Pero trabaja mucho más rápido. La clínica trabaja como reloj. Y habla más con los pacientes de sus males y como tratarlos. Además, está muy chula — eso último lo habían dicho dos hombres diferentes.

Le caía bien a la gente. Hasta el momento, por lo menos. Lo cual era bueno, dado que la búsqueda de un segundo médico por la mesa directiva no había avanzado absolutamente nada en las últimas seis semanas. Ni siquiera había alguno provisional hasta pasando la Navidad.

Isabel era una mezcla muy perturbadora de profesional dura e intransigente con mujer de sangre caliente. Entre los brazos de él, era suave, sensible y deseable. Sin embargo, ante la mesa directiva o el consejo, era absolutamente combativa, sin jamás dejar de aprovechar una oportunidad de arengarlos por lo de "su" laboratorio; lo que ya estaba añejo.

Pero los halagos que le cantaban en el pueblo eran suficiente para tolerar esa costumbre tan molesta que tenía. Lo que más importaba era que pudiera seguir sin meterse en problemas durante lo que quedaba de su estancia probatoria.

Una parte de él esperaba que sí. La parte que no podía controlar, que no quería controlar, eran las chispas que volaban cada que estaban juntos. Era inteligente, dedicada, trabajadora; todo lo que admiraba en una persona. En una mujer. Parte de él quería que ella se quedara durante mucho tiempo.

Y parte de él todavía tenía un cierto y vago nerviosismo respecto a ella. ¿Sería simplemente porque era tan agresiva en cuanto a su profesión? Como lo de su laboratorio, o como su determinación para tener un puesto médico en la Fiesta. Meneó la cabeza. Se suponía que la Fiesta era para divertirse, no para ver asuntos serios como la presión arterial alta.

O sería por sus opiniones tan fuertes respecto a Lidia, y porque por lo menos algunas veces, ¿había tenido lo que parecía ser la razón?

De algún modo y de alguna manera, esperaba que en cualquier momento lo iba a descontrolar por completo. Y su propia caída no iba a ser nada agradable. De eso estaba él completamente seguro.

Entrando a la recepción de la clínica, tocó la puerta que daba a la oficina. Ya pasaban de las cinco; nadie más estaba ahí.

Alicia abrió la puerta, las llaves de su coche en la mano.

—Hola, Javier —dijo—. La doctora está en su oficina, y yo ya estoy fuera de servicio. Lidia está allá atrás; y estoy tan emocionada porque nos va a dar otra tarde por semana. Nos vemos después —luego pasó al lado de él, saliendo por la puerta principal, antes de echarle llave tras de ella.

—Hola —llamó él, buscando primero a Lidia. Al asomarse por la puerta del cuarto de atrás, ella se limitó a gruñir sin decir palabra alguna.

—Buenas tardes a ti también —dijo medio molesto. Hiciera lo que hiciera, las cosas nunca estaban bien con Lidia—. Termina ya pronto. Vamos a irnos luego.

Bel lo recibió mucho mejor.Sonrió, y lo besó en las dos mejillas. La dulzura de su aliento sobre su piel le disolvió la mayor parte del nerviosismo que él tenía en las orillas de su consciencia, y le sonrió.

—¿Un día difícil? —preguntó ella.

—Como siempre. ¿Tú?

—Largo —cerró los expedientes con los que había estado trabajando y los puso sobre una esquina de su escritorio. Luego se quitó su bata de laboratorio y la colgó sobre un gancho en la puerta de su oficina—. Vamos a ver el puesto. Me queda nada más una semana para adaptarlo a nuestras necesidades.

—Las cuales, ¿son?

Isabel abrió la puerta y pasó a la parte principal de la clínica.

—Un lugar donde la gente pueda entrar y salir con facilidad. Espacio para que Alicia y yo trabajemos, y espacio para poner folletos respecto a los servicios de la clínica. Y el laboratorio —agregó como tiro final.

—Jamás te vas a dar por vencida, ¿verdad?

—Si se tratara de tu trabajo, ¿tú te dejarías vencer?

Ahí sí que le tenía que dar la razón. Simplemente era que sonaba... pues diferente, de parte de una mujer. Era algo en que tenía que pensar.

Pasaron por Lidia y se metieron en el coche de Isabel. Después de dejar a Lidia, Isabel sacó el coche por la entrada y siguió el camino hacia la escuela. El puesto estaba atrás del campo de deportes, y la luz desteñida de la tarde de otoño suavizaba sus defectos.

—Parece más tienda de campaña que puesto —dijo Javier—. Por eso está disponible. Los porristas están construyendo uno de madera, con un piso y alambrado eléctrico.

Isabel le dio toda la vuelta, inclinando la cabeza de un lado al otro, examinándolo. Al terminar, sonrió.

—Va a funcionar. No tiene escaleras, para empezar, y podemos sostenerlo abierto donde esta la cremallera, y hay suficiente espacio para una mesa larga y unas sillas. Está un poco percudido —dijo, metiendo el dedo por un hoyo en un lado—, pero el techo está entero. En caso de lluvia.

—Jamás llueve durante la Fiesta.

—Que bueno —ella volteó hacia él y tocó su mejilla suavemente con su dedo índice, trazando una línea hacia su mentón—. ¿Sabes, Javier? Me has tratado bastante bien últimamente. ¿Debo estar preocupada? ¿Tienes algún plan para mi?

Se le brillaban los ojos, y Javier apretó su mano contra el mentón, mirándola fijamente con un deseo controlado sólo a medias.

—Sí —dijo con voz profunda, y tapó la boca de ella con su boca, impidiendo que siguiera hablando.

Al estar juntos, Isabel siempre lograba encender un fuego dentro de él. Lo perturbaba totalmente con deseo y necesidad, y él simplemente no comprendía de dónde había sacado ese poder sobre él. Ni siquiera había querido que estuviera ahí, no al principio. Todavía no estaba convencido de que debiera estar ahí del todo. Sin embargo, ella se le había metido bajo la piel.

Y ahora la deseaba. Toda ella. No importaba que a veces lo volviera loco, ignorando casi todo lo que él pedía razonablemente, al igual que ignoraba sus sugerencias. No importaba que ella las considerara exigencias. Nada importaba aparte de esto.

Él estaba atrapado en el círculo de franco deseo, y nada menos que poseerla totalmente lo ayudaría.

Ella ofreció una débil resistencia a su primer beso, luego suspiró y se entregó a él. Abrió la boca, ofreciéndola la entrada, mordisqueando su labio inferior, gimiendo suavemente contra él.

Ella también lo deseaba. Él lo sintió por la manera en que movía su cuerpo contra el de él, despacio, sensualmente, con una ansiedad apenas controlada. Él lo palpaba por la manera en que la mano de ella recorría su mejilla y su cabeza, enredando sus dedos en su grueso y lacio cabello color azabache.

—Tienes que dejar de tentarme así —dijo ella en voz baja, su aliento cálido contra el rostro de él, su estómago suave contra su ingle—. Es que me... es demasiado doloroso.

—Lo sé, Isabel. Pero aquí no.

—Entonces, en mi casa.

Él estaba pesado y ansioso por el deseo. Y su invitación le decía lo mismo que le indicaba su cuerpo; que lo deseaba tanto como él la deseaba a ella.

No podía aplazar la unión física con Isabel mucho más tiempo. Pero...

—Hoy, no —casi lo mataron las palabras—. Lidia está esperando.

—Un poco más de tiempo separados les hará bien —susurró Isabel—. Estaba quejándose de eso el otro día. Dale oportunidad —pasó su mano por lo largo de la camisa de él, deteniéndose para rascar ligeramente su pecho con la uña—. Piensa en lo fantástico que va a ser estar juntos.

Dios del cielo, estaba tentado. Cada vez que la veía, cada vez que la tocaba, le provocaba una tormenta de calor y necesidad. Y si no lo dejaba de tocar así...

Con un gemido fuerte, se apartó del placer de las cálidas caricias de Isabel.

Pero Isabel no lo soltaba. Rodeó su cuello de nuevo con sus brazos y se presionó cerca de él. Su lenguaje corporal y gemiditos guturales expresaban todo lo que ella deseaba. Explícitamente.

Un beso más y ya, se convenció él, metiendo sus manos dentro del cabello de ella y apretándola tan fuertemente contra él que ni una molécula de aire podría haberse metido entre ellos. Ella le robó todo el aliento, se lo devolvió de nuevo, ofreciendo su boca y manos de modos que casi lo hicieron olvidarse de su firme resolución.

—Si no nos vamos a casa ahora mismo, quizás tengamos que hacerlo aquí mismo en la tienda de campaña —susurró Isabel con una voz gutural—. ¿Te imaginas qué escándalo?

Por segunda vez, armándose de toda su fuerza de voluntad, Javier se apartó. Dios, como la deseaba. Deseaba sentir la suavidad del cuerpo de ella bajo su cuerpo, tocar cada centímetro de su tierna piel, hundirse dentro de ella y jamás soltarla. Pero no podía pensar nada más en sí mismo.

—No puedo permitir que Lidia me vea entrando así a tu casa —dijo, su voz ronca, pero firme—. Cuando haga el amor contigo, Isabel, será en mi cama. Con absoluta privacidad.

Bel lo miró despectivamente, enojada y frustrada.

—No sabes lo que te estás perdiendo.

"Y confía en lo que te digo", agregó en silencio. "Tu hija sí que sabe."

CAPÍTULO SIETE

El día de la Fiesta amaneció asoleado y despejado, y Bel se despertó temprano. Había estado observando durante dos días mientras la gente había transformado la plaza central, levantando alegres tiendas de campaña, puestos de comida y de artesanías por todo el zócalo. Habían llevado y organizado el equipo de cocina así como la mercancía para sus puestos mientras los obreros colgaban las luces para las festividades de la noche.

Bel y Alicia habían terminado de montar el puesto de la clínica, con montones de folletos y un gran anuncio que decía "Porque la Clínica de Río Verde Necesita un Laboratorio" en inglés y en español.

Brincando de su cama, se baño rápidamente en la ducha, y se vistió con ropa caqui y camisa blanca, sacando una bata de laboratorio limpia de su closet para ponérsela más tarde. En lugar de correr esta mañana, caminaría a la clínica para recoger su instrumental. Luego se iría al centro del pueblo para empezar con las actividades del día. Y esperaba que hubiera suficiente tiempo para tomar uno que otro descanso para ver de que se trataba la Fiesta.

—Pero la verdadera fiesta comienza al la noche —Javier le había dicho—. Pasaré por ti a las cinco. Estás lista.

Poniéndose sus zapatos de correr, Bel dejó su departamento. En la entrada, la saludó el pitazo de un claxon de carro. Lidia corrió por la puerta principal, su maleta de fin de semana en la mano.

—¿Qué es esto? —dijo Bel, señalando la maleta—. No piensas escaparte de casa, ¿o sí?

—¿Puede creerlo? —dijo Lidia alegremente—. Ya cumplí mi sentencia por fin. Hasta me dejó pasar la noche con Ana y Sofi —abrió la puerta del coche—. Por supuesto, la madre de Ana tiene que jurar que llegué a casa a mi hora, pero ... —se encogió de hombros con indiferencia.

—¿Y David?

Lidia sonrió.

—¡No puedo esperar!

Bel la vio seriamente, pero no dijo nada.

—Estoy bien —le aseguró Lidia—. Y gracias, de nuevo —abrió la puerta del coche y se metió entre media docena de jovencitas. Con un meneo de mano para despedirse, salieron de la cochera y el coche corrió calle abajo.

Así que Lidia no estaría esta noche. A pesar del cálido aire matinal, Bel tembló un poco por la emoción mientras empezaba a caminar el kilómetro y medio de distancia para llegar a la clínica. Javier le había prometido privacidad para su primera vez, y estaba cumpliendo.

Esta noche.

Ella estaba lista. A pesar de que a veces Javier la volvía loca con sus interferencias.

Era su mayor defecto. Su único defecto, de verdad, pero era uno que muchas veces destacaba por encima de sus otras cualidades. Bel era suficientemente fuerte para evitar que la controlara, por mucho que él quisiera hacerlo, pero la pobre de Lidia... Realmente exageraba su control de padre con ella. Gracias a Dios que había restaurado sus privilegios antes de que ella volviera a rebelarse.

Pero cuando Javier se separaba de esa parte de su personalidad, era encantador. Muy, muy encantador. La hacía reír, la entretenía con cuentos de la vida en

Río Verde, la hacía sentir bien recibida y estimada. Y a veces hasta la ayudaba con sus objetivos profesionales, como lo había hecho con la Fiesta.

Y cuando ella se encontraba entre sus brazos, no podía pensar en nada aparte de él y cuanto lo deseaba. Todo él. La reacción química entre ellos era fuerte y real.

Esta noche se terminaría la larga espera.

Dando la vuelta a la esquina de la calle principal, Bel entró por la puerta principal de la clínica. Las calles ya estaban llenas de gente, y el aire estaba lleno de voces saludándose y pidiendo ayuda. Aún a una distancia de cuatro cuadras, Bel olía el aroma de carnes al carbón y jugos de fruta fresca.

Al llegar a la tienda de campaña de su clínica, su instrumental en la mano, Alicia la estaba esperando. Rápidamente tomaron sus lugares, y pronto, una fila constante de pacientes empezaron a pasar con ellas. Algunos eran personas que Bel ya había visto en la clínica, como la señora Gómez, quien había traído a su marido con ella para conocer a "la nueva doctora." El señor Gómez era un coqueto desvergonzado, y Bel escuchó mientras Alicia bromeaba y se reía con él, con destreza metiendo sus preocupaciones reales respecto a la salud de él en la plática.

También habían muchas caras desconocidas, pero Bel y Alicia los recibieron con igual gusto, tomando su presión arterial y haciéndoles algunas preguntas básicas sobre su salud.

Para aquellos cuyas respuestas o presión arterial estuvieran fuera de los límites de la normalidad, Alicia concertaba citas ahí mismo para que fueran después a la clínica. Escribía sus nombres en el anticuado libro de citas y luego les escribía una tarjeta como recordatorio.

Si sólo una docena de gentes acudían a sus citas, Bel podría declarar como exitoso el día. Era lo más importante en dar servicios médicos de salud pública, descubrir los problemas rápidamente. La educación, un diagnóstico a tiempo, tratamiento adecuado. Cada paso significaba que más gente podía vivir una vida más larga y saludable.

Cuando terminaban cada revisión médica, entregaban un volante a su visita, explicando lo de su campaña de recaudación de fondos para el laboratorio y por qué era tan importante para la clínica y para los pacientes.

Casi toda la gente abría la cartera ahí mismo para donar un dólar, cincuenta centavos, o lo que tuviera a la mano. Unas personas regresaban varias veces, trayendo cambio de cualquiera compra que acababan de hacer.

A mediodía, Alicia había conseguido un gran frasco de salsa de uno de los vendedores de comida. Después de lavarlo bien y colocarle una etiqueta que decía "Fondo para el Laboratorio", ella y Bel metieron las monedas y billetes en el frasco. Observaron con asombro mientras crecía la cantidad de cambio y billetes a lo largo del día.

Enfrente de la plaza, a cada lado del río, un grupo presentó un simulacro de la batalla original de Río Verde. Unos cuantos caballos de rigor relincharon y se levantaron sobre las patas traseras cuando las filas de soldados de Santa Ana marcharon hacia el río en camino al pueblo. La retaguardia disparaba sus antiguos rifles y cañones con fuertes tronidos, y el olor de pólvora flotaba en el aire.

El simulacro de batalla duró dos horas, bastante menos que la batalla original que había durado dos días, y luego la gente regresó a la plaza, a comer tacos y tomar aguas de fruta fresca, riéndose, gritando y jugando.

Luego empezó la música. Había un foro en el extremo izquierdo de la plaza, y durante las dos horas siguientes se oyeron las alegres notas de las guitarras y cornetas de los mariachis. Llegaron más y más personas, hasta que se llenaron también las calles, todos aplaudiendo y cantando con los mariachis.

Justo a las cinco, Bel vio a Javier acercándose a ellas. Un rayo de la luz del antenoche lo iluminó al caminar, haciendo relucir su cabello oscuro y hombros poderosos. Se abrió camino lentamente por entre el gentío, parándose una y otra vez para saludar a uno o para dar unas palmaditas en el hombro de otro, sonriendo y saludando con un meneo de la mano a la gente del otro lado de la plaza.

Se veía muy bien así, en su elemento, rodeado por la gente que lo conocía y que lo quería.

¿Y tú? Bel se preguntó repentinamente, hipnotizada por la escena. *¿Qué es lo que sientes?*

Necesidad, se dio cuenta, y mientras el sentimiento se disparaba desde sus ojos hasta lo más profundo de su ser, quedándose ahí con la promesa de ser satisfecho. Y la necesidad, sabía ella, tenía la costumbre, frecuentemente, de convertirse en algo más.

Había venido a Río Verde en espera de encontrar algo de sí misma. De repente parecía que Javier era parte de esa búsqueda.

Alicia lo miró y sonrió.

—Váyase, doctora —dijo—. Van a llegar pronto mi hijo y mi marido, y nosotros llevaremos todo a la clínica de nuevo.

—¿Estás segura? —todavía mirando fijamente al hombre que se acercaba. Durante un momento se preguntó si podía esperar que terminaran las festividades de la noche. Quizás pudieran irse directo a casa desde ahora.

Alicia la empujó por los hombros hasta sacarla de la tienda de campaña.

—¡Váyase!

Bel se fue. Al caminar por el gentío hacia él, la gente la saludaba por todos lados, y ella sonreía o decía "adiós" con acento ya aceptable. Ellos tenían la ventaja, por supuesto. Nada más tenían que recordar su nombre; ella tenía que recordar por lo menos mil. Pero de algún modo, se imaginaba que la perdonarían.

Río Verde era un lugar que perdonaba mucho. O quizás una mejor descripción era que era un pueblo generoso. Eso le parecía hoy.

Ya estaba ahí, delante de él. Casi sofocada, tendió sus manos para que él las tomara. Inclinándose el uno hacia el otro, se besaron en las mejillas. Pero Bel sabía lo que les esperaba más tarde esa noche, y sonrió, con una sonrisa secreta y conocedora.

—Te ves como un gato que se acaba de comer un ratón —dijo Javier—. ¿Qué es lo que no estás diciéndome?

—Nada. Nada más ha sido un bonito día. Vimos a unas trescientas personas; ¡tenías razón al decir que todo el mundo viene a la Fiesta!

—Sacamos unos cuatrocientos para la carrera, así que debemos sacar una buena ganancia.

—¡Yo quiero la parte que le toca a la clínica! —dijo Bel, meneando su dedo ante la cara de él.

—Te lo prometo —dijo, fingiendo desesperación—, ¡a nadie se le va a olvidar la parte de la clínica! No con tu afán de recordárnoslo.

—¿Sabes?, con lo que ha donado la gente en cambio, más esto, deberíamos poder equipar por lo menos una parte del laboratorio casi de inmediato. Lo cual sería fantástico.

Javier se limitó a sonreír.

—Ahora eres tú quien pareces tener un secreto. ¡Desembucha!

Pero Javier se limitó a decir:

—Lo sabrás en el momento apropiado —y Bel no le pudo sacar ni una palabra más.

Así que cambió el tema.

—Tengo hambre —dijo triunfalmente, buscando dentro de su mente las palabras correctas—. De veras, me muero de hambre. Alicia y yo pasamos todo el día oliendo toda la comida tan rica y jamás tuvimos un solo momento para comer.

—Ándale, pues, a comer —Javier la tomó del brazo y la escoltó en dirección de los vendedores de comida.

Cenaron tacos al carbón y cebollitas a la parrilla, acompañados de sidra fría. Terminaron con un flan de postre, y una rica nieve de vainilla.

Después pasearon por el mercado, viendo las artesanías tanto de México como de los Estados Unidos; carteras y bolsas en piel labrada, guayaberas y vestidos de manta en colores fuertes, ónix labrado, piñatas y docenas de muñecas, juguetes de madera y artículos bordados a mano.

Bel estaba fascinada con un nacimiento de cerámica. Elaborado con arcilla pintada de colores brillantes, era la escena más alegre del niño Jesús y la Sagrada Familia que Bel había visto jamás. Recogió uno de los Reyes y recorrió sus dedos sobre los brillosos colores alegres.

—¿Cuánto? —preguntó, regresando la pieza con los demás.

El vendedor la vio, calculando el precio.

—Cincuenta dólares —dijo, ocupándose con su mercancía.

Bel sacó su cartera, pero antes de que sacara el dinero , Javier había tomado su mano y dijo tranquilamente:

—Quince.

Ella le echó una mirada a Javier al notar que el vendedor levantó la vista con alegre sorpresa.

—Cuarenta y cinco —respondió.

—Veinte —dijo Javier como contra-oferta mientras Bel silbaba suavemente. ¿Qué es lo que estaba haciendo?

Regatearon hasta quedar de acuerdo en treinta dólares como precio para Bel, el vendedor gruñendo que sólo era porque a la dama le gustaba tanto que sería una lástima que no lo tuviera. Javier sonrió y soltó la mano de Bel, señalando que debería pagar al hombre. Él envolvió las piezas en papel de periódico y los puso en una vieja caja para zapatos, quejándose que no le había convenido el precio acordado.

—¿Qué es lo que estabas haciendo? —exigió Bel al alejarse del puesto—. ¡Qué vergüenza!

—¿Cómo? ¿No me agradeces que te ahorré veinte dólares?

—¿De qué se trató todo eso?

—El regateo. Una clásica tradición mexicana. Ya está desapareciendo, con las grandes tiendas departamentales y supermercados, pero en un mercado como este, los precios jamás son fijos. El precio que ofrecen no es más que un punto de partida.

—Pero nada más pagué como la mitad de lo que pidió.

Javier asintió con la cabeza.

—Y también fue un precio más o menos justo —llegaron a otro puesto, con blusas de colores alegres y vestidos y Bel se paró a verlos—. ¿Quieres tratarlo?

Ella le pegó en broma.

—¿Yo? Te dije. No me gusta regatear. Soy demasiado americanizada. Demasiado acostumbrada a los precios de tiendas departamentales.

—Bueno, piensa en ésto como si fuera tu propia barata personal.

—Está bien —dijo ella lentamente, comprendiendo finalmente—. ¡Ya lo veo!

—¡Cuídense vendedores de la Fiesta!

Unos minutos más tarde, ella encontró un vestido que le gustó, con flores bordadas en colores alegres y encaje blanco en la bastilla y en las mangas. Lo probó en un puesto con cortina, gustándole la manera que colgaba de sus hombros y cuello mientras le apretaba la cintura. Se abría acampanado desde la cadera en falda circular, y ella giró para verla volar sobre ella.

—Los tenis no funcionan con este equipo —dijo ella, recogiendo unas sandalias de color rojo vivo, colocándoselas en los pies—. Pero éstas son perfectas.

Ella hizo contra-ofertas al primer y segundo ofrecimiento del vendedor, pero se dio por vencida después del tercero.

—Pagaste demasiado —le dijo Javier al alejarse del puesto, Bel todavía portando su vestido y sandalias—. No puedes ser tan ansiosa.

—Pero me gusta y fue buena compra aún al precio que pagué. Y me divertí. ¿Qué más puedo pedir?

—Un precio aún mejor. Observa al maestro.

En el próximo puesto, regateó furiosamente por un collar de cuentas, hasta alejándose en un momento dado para que el vendedor lo siguiera, suplicándole que terminara la transacción. Al final, pagó mucho menos que la mitad del precio original por dos de los collares, con un par de aretes gratis. Le regaló uno de los juegos a Bel.

—Está bien. Estoy impresionada —concedió ella, al ponerse el collar en su cuello. Las cuentas eran un color nacarado de ónix, altamente pulidas y lisas, y se sentían frescas sobre su cuello. No como donde la tocaban las manos de Javier, mandando pequeñas descargas de excitación desde su cuello hasta su cintura— eres... muy... bueno.

—De varias maneras —susurró él en su oído, sus manos deteniéndose un momento más sobre su cuello. Sacando un arete con tres bolitas de ónix, le quitó sus mas sencillos aretes de oro y le puso los nuevos.

La sensación de los dedos de él sobre su cuello y oídos casi era más de lo que Bel podía soportar. Los vellitos sobre su cuello estaban erizados, electrificados, y los lóbulos de sus oídos se sentían como si fueran zonas erógenas. Algo espeso y dulce se formó en la boca de su estómago, extendiéndose lentamente por su cuerpo como miel calentada por el sol.

Se apoyó contra él, su espalda contra el pecho de él, descansando su peso en él.

—Esta noche —susurró justo arriba de su oído— tienes que ponerte este conjunto para mí... y nada más.

Sus palabras, y su dulce aliento contra su oído, le provocaron un escalofrío por toda su columna. Tocó suavemente las cuentas, maravillándose ante su fresca dureza contra el calor de su piel.

—¿Esta noche? —dijo ella—. ¿Aquí? ¿Ahora?

—Pronto —prometió él, plantando un beso breve pero ardiente sobre el cuello de ella. Luego la tomó por los hombros y la volteó para enfrentarla a él—. Pero primero tenemos que ser vistos.

Metió el otro collar y aretes en la bolsa de su camisa.

—¿Y para quién es ese juego? —bromeó ella, recobrando algo de su compostura perdida. Ya podía moverse sola, aunque la excitación que corría casi a flor de piel no había disminuido en absoluto.

—Lidia —dijo él—. No es realmente su estilo. Demasiado tradicional y conservador. Pero quizás le guste después —meneó la cabeza—. Vamos a bailar.

Ya era noche, y las linternas que habían sido colocadas sobre la plaza centelleaban. Una luna llena estaba ascendiendo tras del campanario de la iglesia, agregando su brillo a la escena iluminada.

Los mariachis había abandonado el foro, y un alegre conjunto había tomado su lugar. El ritmo era contagioso.

Javier extendió la mano y la guió hacia el centro de la gente, donde varias parejas ya estaban bailando. La mayoría de ellos se limitaban a un paso doble sencillo, pero otras parejas probaban pasos complicados con contorsiones y giros con nada más tocarse para comunicarse sobre el siguiente paso.

¡Que diferente de la última vez que habían bailado! Pensó Bel. Aquella noche había estado llena de enojo, posesión, hasta vergüenza. Pero aquí estaba más cómoda. Se movieron juntos tan tranquilamente como si hubieran estado bailando juntos tanto tiempo como la pareja de ancianos de cabello canoso a su izquierda.

Era agradable estar entre sus brazos, pensaba ella no por primera vez.

Él la apretó más fuerte, cambiando de un rápido paso doble hacia un paso más lento de vals. Bel miró alrededor con mirada soñadora, mirando a las parejas de ancianos moviéndose con la misma gracia que los jóvenes. Mirando de reojo, pensó que había visto a Lidia con David, pero entonces Javier la guió en otra dirección y no estaba segura de haberlos visto.

Al hacerse más tarde, los vendedores empezaron a cerrar ventanas y puestos, juntándose con la gente en la plaza. Los vendedores de comida todavía estaban haciendo buen negocio, bailar era trabajo rudo. Las parrillas chisporroteaban al ponerles la carne y verduras, y tintineaban las tapas de las ollas mientras los trabajadores servían chile, arroz y frijoles.

Se juntaba aún más personas en la plaza, ya llena de gente bailando, riéndose, hablando y gesticulando en los dos idiomas. El lugar zumbaba con vida y energía, bastante distinto a lo conservador del medio-oeste que Bel había conocido toda su vida. Ella se apoyó contra Javier y observó todo, maravillándose ante todo lo que había llegado a ver y entender en tan poco tiempo.

—Gracias —susurró.

—¿De qué? —la voz de Javier era profunda.

—Por las cuentas, por la clase de regateos, por estar conmigo. Por todo, me supongo. Me sentí muy ... pues aceptada en Río Verde hoy.

—De nada —respondió, poniendo sus manos sobre los codos de ella e inclinó su boca hacia la de ella. La besó tiernamente, para luego decir seriamente—, Isabel, yo sé que no he sido digno contigo. No... pues no confiaba en ti, en que alguien como tú pudiera venir y comprendernos, comprender nuestros valores y nuestra cultura. Estaba equivocado.

—Gracias, Javier. Significa mucho para mi escuchar eso. Empiezo a sentir que hay un lugar para mi aquí. Es justo lo que había esperado.

—¿Qué cosa, corazón?

El término flotó en el aire como una brillante gota de agua, frágil pero hermosa.

—Suena ridículo, pero una de las razones por las que escogí a Río Verde fue para que pudiera encontrar una parte de mi misma. Mi padre murió cuando era tan chica que jamás había llegado a conocer esa parte de mis orígenes. El doctor Rodríguez lo comprendía, y me quería ayudar. Tú no te imaginas lo anonada que me sentí cuando llegué y me enteré que él había muerto, y lo único que me quedaba eras tú.

Javier se rió.

—Jamás lo mostraste. Eras puritita actitud, y determinada a seguir adelante. Pero deberías verte en un espejo ahora.

Mirándolo, vio tanto su calidez como su promesa en los ojos. Era aceptación, y quizás más.

—Me gusta este lugar, Javier. No es nada más el aprender español, o el trabajo, que es fantástico. Es la forma de ser de la gente, les importa la vida y la gozan, y disfrutan sus familias y la música… —señaló con la cabeza a un grupo de parejas de avanzada edad todavía bailando cerca de ellos—. La vida nunca descansa aquí. Nadie es demasiado viejo para tomar parte en todo, o para divertirse o… —hizo una pausa y se encogió de hombros—. No puedo explicarlo.

—Lo hiciste muy bien, querida —y luego la tomó por la mano y la condujo fuera de la pista de baile y por una calle a un lado de la plaza.

Caminaron juntos bajo la luz de la luna. Algunas nubes hinchadas manchaban el cielo, jugando al escondido con la luna. No hablaron más; no era necesario, y el silencio entre ellos era tranquilo, una cobija de comprensión.

Unas cuadras más adelante, llegaron al vehículo de Javier, y él abrió la puerta para ella, apoyando su mano mientras ella se subía. Hubo un momento de absoluto silencio mientras cerraba la puerta tras de ella, bloqueando lo que quedaba de ruido de la Fiesta, y Bel cerró sus ojos para flotar en ese silencio un momento.

Ella lo observó de reojo mientras manejaban a casa. Se veía guapo bajo la luz de la luna, como un poderoso dio azteca, bronceado y apuesto. Algo más que un simple mortal.

Al meterse en la cochera, Bel ni siquiera pensó en acercarse a su propia puerta. Siguió a Javier a su puerta. Sin palabras, él la condujo a lo largo del pasillo oscuro hasta su cuarto, donde cerró la puerta tras de ellos con un sólido golpe.

Prendió una luz, pero nada más durante el tiempo necesario para prender media docena de velas sobre el escritorio y la mesita de noche. El humo se movía en espiral negra mientras se prendían los pabilos, y luego apagó la lámpara.

La alcanzó entonces, y Bel no pudo resistirse. Él presionó sus labios contra los de ella, seduciéndola, tentándola, haciéndola desear lo que ella habría creído imposible hacia sólo un par de semanas.

La besó de nuevo, duro y fuerte, y Bel se rindió ante él. Echó los brazos alrededor de Javier, acercánidolo fuertemente contra ella, deleitándose en la sensación suavemente áspera de su labio superior contra el de ella. Ella abrió la boca para recibir su lengua, respondiendo con la suya propia, gozando el dar y recibir de hacer el amor que prometía, finalmente, satisfacer todas sus necesidades.

El cuerpo de ella estaba derritiéndose por dentro, volviéndose cálido y ansioso. Ella deseaba fundir su femineidad con la masculinidad de él, sus curvas contra sus partes angulares, su suavidad contra su rigidez. Se acurrucó, sintiendo su pasión en aumento al soltar un chorro de deseo que fluyó sobre su piel y sobre cada fibra de los nervios bajo su piel. Sus extremidades temblaban con excitación, y ella se daba cuenta que no podía esperar mucho más. La combustión espontánea los llegaría a encender como yesca si se negaban a satisfacer el deseo de sus cuerpos.

—Isabel —gimió desde la profundidad de su garganta—. ¿Estás lista?

—Sí, sí —murmuró ella, mordisqueando y saboreando su boca, su cara, su cuello. Estaba lista, más que lista. Estaba ardiendo, temblando ansiosa a recibir y ser recibida por el.

Rodeando su hombro con un brazo, Javier colocó el otro justo bajo sus nalgas y la levantó. Ella le rodeó el cuello con los brazos en rendición, y él la cargó los diez pasos hacia la cama.

Había dejado la cama abierta en la mañana, exponiendo las frescas sábanas blancas y una suave cobija roja. Una colcha roja y canela estaba colocada sobre el marco de la cama. Un aroma suave de cedro y sándalo flotaba en el aire.

La colocó sobre el colchón. Era suave, como hundirse en una nube al principio, pero luego pego al fondo de la cobija de pluma de ganso donde el colchón estaba más firme, para apoyar fácilmente a los dos. Ella alcanzó la mano de Javier, acercándolo a su lado sobre la cama.

Lo sentía cálido al lado de ella, y su peso hacía un pequeño hueco en las plumas donde ella podía descansar, también. Durante un momento, Javier estuvo acostado ahí, mirándola, consumiéndola con el fuego de sus ojos.

—No tengas miedo, corazón —susurró—. Jamás te lastimaré.

Desenredó sus manos de las de ella, y tocó su cara. Lentamente recorrió el marco de su cabellera lacia con las yemas de los dedos, recorriendo su oído y todo lo largo de su cuello, acariciando sus oídos de nuevo, sacando los broches con los que había sostenido su cabello. Su pelo cayó hacia abajo, y él lo extendió sobre la almohada como si fuera un abanico color dorado.

Se tomó su tiempo acariciándole la cara, el cabello, los hombros, durante lo que parecía una eternidad. Sus manos apenas la tocaban pero lograron agregar capa tras capa de sensaciones, de placer, de excitación. Su piel se sentía increíblemente tersa, con el ardor y necesidad pulsando justo por debajo de la superficie.

Metiendo la mano por debajo de ella, él encontró la cremallera que mantenía cerrado su vestido y la bajó. Deslizó la tela de sus hombros, las mangas por sus brazos, y empujó todo por su cintura, hasta dejarlo al pie de la cama.

Metió un dedo por debajo de sus sostén, un retazo de nylon translúcido. Abrió el broche delantero y luego apartó las copas, soltando sus senos ante su vista... y sus manos.

Entonces movió sus manos, más y más hacia abajo, trazando dibujos sobre su piel desnuda, el espacio entre sus senos, su abdomen, los costados de sus costillas. La sensación era exquisita, su toque como petroleo blanco ante un cerillo encendido.

El fuego se encendía y aumentaba dentro de ella, extendiéndose desde su centro hasta sus extremidades, calentándola, convirtiendo toda su piel en una enorme zona erógena. Lo único que podía hacer Bel era sentir, aceptar el placer que Javier le ofrecía como si fuera una droga.

Deslizó sus manos sobre la espalda de ella, su estómago, luego más y más arriba hasta tomar por fin su seno. Javier gimió. Bel gimió, sintiendo que una pila de deseo se formaba en su interior, haciéndola pensar que jamás se calmaría. Ella alcanzó la camisa de Javier, estirándola para soltarla de su pantalón de mezclilla, torpemente tratando de desabrochar los botones hasta que se rindió para luego quitarla desesperadamente por encima de su cabeza. Recorrió sus manos sobre su lisa piel color café claro, y luego le rodeó el cuello con sus manos para levantarlo encima de ella.

Javier se limitó a sonreír y quitó sus brazos, empujándolos sobre la cama y por encima de su cabeza. Ella estaba estirada hasta donde puso estirarse, y Javier se emocionó al verla.

—Eres una maravilla, tan bella —murmuró suavemente, poniéndose de rodillas y frotando su estómago con su mejilla.

Bel respiraba en pequeños jadeos, sus senos subiendo y bajando con cada temblorosa inhalación de aire. Ahora Javier la besaba de nuevo. Su estómago, los huesos de su pecho y cuello, los lugares suaves entre su torso y sus brazos. La tocó por todos lados, moviéndose aquí, recorriendo allá, y siempre, siempre dando placer.

Ella cerró los ojos durante un momento, y cuando lo hizo, jadeó. Javier se había prendido de su seno y estaba tocándolo con la boca como si fuera algún instrumento musical exquisito. Algo afilado y dolorosamente dulce le apuñaló hasta lo más profundo de su ser mientras la tocaba con la boca, explotando dentro de ella como fuegos pirotécnicos.

Ella gimió de nuevo, apretándose contra él, maravillada ante la exquisita sensación de piel contra piel.

—Ahora —suplicó—. Ay, Javier, por favor, ¡ahora!

Javier aumentó su lento ritmo, pero no lo suficiente para la necesidad de Bel. Recorrió todo lo largo del cuerpo de ella con besos, haciendo una pausa para quitarle su húmeda y translúcida pantaleta para depositarla al lado del resto de su ropa.

Luego siguió besándola. Parecía que no lograba saciarse con saborearla y tocarla; todo su estómago, muslos, rodillas, pies. Cada centímetro de ella estaba vivo, ardiente, ansioso, y lo deseaba. Dios, ¡cómo lo deseaba!

Enderezando sus brazos, alcanzó el cinturón de él, moviendo la pesada hebilla de bronce de su lugar para abrir desesperadamente los botones de su pantalón de mezclilla. Bajo el pantalón, pudo palpar el ardiente deseo de él, y desesperadamente trató de soltarlo. Javier la ayudo a quitar la mezclilla de su cuerpo, luego su calzón.

—Corazón —estás… ¿protegida? De…

Lo vio de manera estúpida, maldiciéndose por ser tan idiota.

—N-n-no —dijo desesperadamente, casi dispuesta a tomar cualquier riesgo para poder apagar las llamas que quemaban su cuerpo—. No ha habido razón alguna...

Él se extendió sobre ella y metió la mano en el cajón de la mesita de noche, sacando un profiláctico envuelto en papel de estaño.

—Te ha estado esperando, Isabel —dijo desde las profundidades de su garganta—. Pero nada más por ahora. No quiero que nada esté entre nosotros... la próxima vez.

Dos segundos más tarde, todo estaba en su lugar, incluyendo a Javier. Se había estirado de nuevo encima de ella, apoyando su peso sobre sus rodillas y brazos.

Su pecho era liso y musculoso, con unos cuantos vellos. Su estómago era plano y terso, y el resto de él era, pues... completamente masculino. Exquisitamente masculino. Perfectamente masculino. Hecho para ella.

La ansiedad y hambre volvieron a surgir en ella, y Bel envolvió su cuerpo alrededor de él. En un momento, se habían acoplado como piezas de un rompecabezas, por fin completo e íntegro.

La llenó profunda y completamente, y ella estaba lista y receptiva. Ella mecía su cuerpo contra el de él, satisfaciendo las exigencias de Javier para saciarse ella con sus propias exigencias.

La magia que el cuerpo de él logró con el suyo no la asombró sino hasta después, al pensar en ello. Durante el acto, apenas pudo deleitarse en el calor, la pasión, la emoción ante la unión después del largo aumento de tensión. Lo llevaba hacia adentro y lo sostenía para su propio gusto, devolviendo cada beso, cada caricia, cada embestida.

Y luego su centro se fue subiendo en espiral, tensándose para la explosión. Javier se deslizó sobre ella, de lado a lado, provocando olas de excitación en ella en la espera del momento final.

Y luego ella llegó a su cumbre. Se tensó por un último e infinito segundo, y luego se convirtió en algo tan brillante y claro como un centavo nuevo de cobre. Su orgasmo fue tan intenso como tierno, agudo, sin embargo suave y entregado. Se fundió alrededor de él, y con un llanto gutural final, Javier empujó una última vez, liberando por fin su propio clímax.

Se desplomaron juntos, sus cuerpos húmedos con el calor y deseo consumidos. La tomó entre sus brazos, colocando su cabeza sobre su pecho mientras su mano izquierda recorría lentamente su costado, haciendo una pausa en la curva de su cadera y en su seno, agregando otra capa perezosa de placer a las capas más profundas que ya había experimentado ella.

Bel suspiró, descansando la cabeza de Javier sobre sus senos como si fueran una almohada, y trazaba pequeños círculos sobre su espalda con su dedo índice.

—Fue… fantástico. Podría acostumbrarme a eso.

—Quizás vuelva a mandar a Lidia a pasar la noche fuera de casa más seguido —gruñó, luego de agregar calladamente—, tú entiendes, ¿verdad Isabel? Esto puede suceder sólo cuando ella no se encuentre. Y eso tampoco pone muy buen ejemplo que digamos para ella… —meneó la cabeza—. Yo soy sólo un hombre, y no pude esperar más para estar contigo. Ojalá que estuvieras dispuesta a casarte conmigo, pero me imagino que no, ¿verdad? Por lo menos todavía no.

—¿Casarme contigo? —dijo Bel, de repente alarmada. Apenas lo estaba llegando a conocer; y,

¡pasarían varios meses antes de pudiera siquiera pensar en ese tipo de compromiso!

Ella tembló nerviosamente. ¿Qué es lo que estaba pensando Javier? Que si estaban listos para hacer el amor, entonces, ¿estaban listos para el matrimonio? Imposible.

El matrimonio sólo era opción cuando estaba una segura; segura del hombre, de que querían las mismas cosas de la vida, seguros que sus valores eran similares. Ese tipo de seguridad no llegaba después de hacer el amor una sola vez. Por fenomenal que hubiera sido.

Tembló de nuevo, y Javier estiró la sábana y cobija, tapando a los dos. La acurrucó contra él, y acarició su cabello, todavía extendido sobre la almohada.

—No te asustes, Isabel —susurró—. No estoy pidiéndotelo ahora. Pero es algo que debes... pues pensar. Para el futuro.

Enfatizó la última palabra, y sonrió en dirección de ella, cálidamente, para consolarla. Respirando profundamente, Bel se relajó un poco y rechazó sus pensamientos anteriores. Todo saldría bien. Javier comprendía sus preocupaciones.

Y ella comprendía las suyas. Podrían ser discretos, por el bien de Lidia. Aunque la chica supiera mucho más que lo que su padre hubiera querido sobre las relaciones entre adultos, sobre la vida y el amor.

Ella le devolvió la sonrisa y dijo alegremente:

—Creo que deberíamos aprovechar el tiempo que tenemos a solas. ¿Quieres volver a intentarlo?

A él le brillaron los ojos traviesamente y empezó a besarla de nuevo.

—Estaría loco si decía que no.

Cerrando sus ojos, Bel se dejó amar de nuevo. Su pasión aumentó lenta y profundamente, su orgasmo de nuevo tan intenso como jamás había vivido. Eran excelentes juntos, pensó con sueño, acurrucada entre sus brazos. Debería ser suficiente por ahora.

Afuera, había empezado a lloviznar.

CAPÍTULO OCHO

Cinco días después, todavía no había dejado de llover. La lluvia era incesante, constante, fatigante y ya estaba afectando los nervios de todo el mundo.

Pero ni la lluvia ni la obscuridad de los días podían disminuir la alegría interior de Bel. La magia con Javier se había repetido la noche siguiente, cuando él había accedido ansiosamente a la petición de Lidia de dormir en la casa de sus amigas de nuevo.

Javier se había comportado como el amante perfecto, trayéndole el desayuno a la cama, preparando su baño y llenándolo con flores, lavando cada centímetro de su cuerpo para poder amarla de nuevo. Había sido asombroso; compasivo, comprensivo, imaginativo y tierno.

Un hombre con quien gozar una amistad íntima. Un hombre para... amar de todas las maneras posibles.

A ella le costaba trabajo creerlo, pero sin embargo, era cierto. Javier se le había metido de lleno en su corazón. Su pésimo comienzo se había borrado de su mente, repuesto por esta nueva relación. Segura. Aceptada. Querida.

Jamás habías esperado que sucediera esto durante su búsqueda en Río Verde. Pero había sucedido. Dios, ¡y de que manera!

Javier seguía intentando entrometerse en sus asuntos. Pero nada más en las cosas que él conocía, como ofrecerle consejos al correr. Más que nada, él trataba de evitar el tema de la clínica en sus conversaciones, y ella se lo agradecía. De esa manera evitaban el exceso de fuegos pirotécnicos verbales.

Pero los fuegos físicos... ella no se bastaba de ellos. La pregunta que se hacían constantemente los dos; ¿cuándo podrían volver a estar juntos?

Se acercaba el viernes, y con ello sus propias promesas.

—Ya llegó el correo por fin —dijo Alicia, trayendo un montón de sobres y revistas médicas a la oficina para entregárselos.

—La lluvia hace todo más lento, ¿verdad?

Alicia asintió con la cabeza.

Dijo el cartero que ya es difícil repartir el correo en las áreas rurales. Hay acumulación de agua en algunos de los caminos.

—Esperemos que el mal tiempo se acabe pronto —Bel hojeó los sobres.

—Me quedé con los reportes de laboratorio —dijo Alicia, pasando hacia la oficina principal de nuevo—. Sacaré los expedientes para incluirlos antes de traérselos.

—Gracias —al salir, Bel abrió el sobre cuyo remitente era "Farmacéuticos Austin."

Le temblaban un poco las manos. Hasta la fecha, su búsqueda de fondos corporativos para el laboratorio no había logrado más que rechazos, pero esta carta se sentía diferente. Un poco más gruesa. Sacó las hojas y las leyó. Las leyó de nuevo. Luego recogió el teléfono.

Justo cuando Javier estaba tocando a su puerta.

—Justo estaba llamándote —dijo Bel cálidamente, parándose para ir con él. Cerró la puerta tras de él—. Tengo noticias.

—Yo también —Javier pasó la mano tras de su espalda y cerró la puerta con llave. Dejando su paraguas mojado, tomó a Bel en sus brazos y la besó.

Un beso de verdad, no el besito tradicional sobre las mejillas.

Javier le supo a lluvia, y Bel se entregó a la fresca sensación, deseando que durara lo más posible. Pero finalmente se apartaron para respirar, y Bel limpió una gota de lluvia de la mejilla de él. Luego, presionando la mano contra su cara, dio un paso atrás.

—Empieza tu primero —dijo ella, sus ojos brillando.

—Prepárate a amarme cuando oigas la noticia —dijo confiadamente.

—Ya te amo —dijo sin pensar ella, y luego, dándose cuenta como había sonado, agregó rápidamente—, todo el mundo te ama.

—Y, ¿qué harías si te dijera que vas a tener tu laboratorio?

—Bueno, sí —dijo ella lentamente, sin entender—. Tarde o temprano. Tenemos el dinero de la Fiesta y…

—Quiero decir todo —sonrió como niño en una dulcería—. Acabo de hablar con Silvia Rodríguez, la viuda del doc. Ella va a donar el laboratorio para la clínica en memoria de su marido —mencionó una cifra impresionante—. Debe de ser suficiente, ¿no crees?

Los ojos de Isabel se abrieron con asombro:

—¡No lo puedo creer!

—Créelo. Empecé a hablar con ella de eso hace tiempo. Y después de discutirlo con sus hijos, decidió que era una buena causa. ¿No estás impresionada?

—Ay, Javier, lo estoy. De hecho, a lo mejor tenemos de sobra —recogió la carta de Farmacéuticos Austin y se la entregó a él—. Acaba de llegar esto hace ratito. ¡Léelo!

Él leyó rápidamente la carta, y su sonrisa se desvaneció, su cara se ensombreció.

—Ellos están donando todo lo que necesito para los análisis de sangre —dijo Bel con emoción—. Los químicos y el equipo. ¿No es fantástico? Con esto, más el dinero de la Fiesta, junto con el donativo de la señora Rodríguez... pues tendremos el laboratorio mejor equipado en tres condados. Caray, hasta podremos contratar un técnico de medio tiempo.

—Isabel, ¿no te pedí que no acudieras a donadores corporativos sino hasta después de la Fiesta? ¿Hasta ver lo que podíamos hacer de manera local?

Ella lo vio llena de confusión.

—S-sí. Pero cuando hice cuentas entre lo que sacamos de la Fiesta y el puesto, no era suficiente. Recaudar fondos lleva mucho tiempo, así que me adelante. Tuve que hacerlo.

—¿No pudiste haber confiado en que yo supiera de lo que hablaba?

¿No me pudiste haber dicho lo que estabas haciendo? —replicó ella—. Tú estabas trabajando en ésto mientras yo estaba escribiendo una propuesta a Austin. De haber sabido lo que estabas haciendo, me habría esperado.

—Fue una negociación delicada. Su marido acababa de morir. No quería que la presionara nadie — aventó la carta sobre su escritorio—. Estas gentes en Austin quieren que el laboratorio se llame como ellos. La señora Rodríguez quiere lo mismo. ¿Qué propones?

—Bueno, pues obviamente debe de llevar el nombre de los Rodríguez. Pero es una tontería rechazar el donativo por eso. Nada más tengo que explicarles la situación —vio a Javier, furioso ante ella, y se perturbó.

¿Qué es lo que pasaba? ¿Por qué estaba tan enojado? Eran buenas noticias, tanto las de él como las de ella. Había que arreglar los detalles, pero no era problema.

Pero viendo a Javier, uno pensaría que ella acababa de hacer explotar una bomba en la plaza pública. O algo peor.

Éste no era el mismo hombre con quien había hecho el amor hacia unos días. Quien ella había querido que estuviera desesperadamente feliz por ella. No, éste era parecido al hombre que había conocido aquel primer día en Río Verde; arrogante, dominante y controlador. Quien daba órdenes y esperaba que se acataran.

—Es una buena noticia, Javier —dijo, confundida por su actitud—. Hemos resuelto el problema del laboratorio. Deberías estar fascinado. ¿Qué es lo que te pasa?

—Resiento a los fuereños que llegan a simplemente regalarnos las cosas, cuando nuestra propia gente estaba dispuesta a hacer todo.

—Ay, no eso de nuevo, Javier —suspiró ella—. La auto-suficiencia es una meta muy noble, pero hay que ser práctico. No podríamos haber esperado que la señora Rodríguez donara el laboratorio en memoria del doctor. Tuve que hacer que sucedieran las cosas. El laboratorio era demasiado importante.

—Sí, pero no era totalmente tu responsabilidad. Era la mía también, y de la mesa directiva. No siempre sabes lo que es lo mejor para nosotros. ¿Cuándo vas a comprender eso? Apenas has vivido aquí unos cuantos meses. ¡Deja de tratar de cambiarnos!

—¡No estoy tratando de hacer nada por el estilo! Las corporaciones ayudan constantemente a las comunidades, no es un crimen pedirles su apoyo.

—No. Pero tus acciones siempre demuestran que no has aprendido lo que significa esta comunidad. Tampoco has aprendido que si te digo que te apoyo es porque voy a buscar la manera para lograrlo. Simplemente no puedes confiar en eso, ¿verdad?

—Primero confío en mí misma.

—Eso no te llevará muy lejos en Río Verde. Nosotros contamos con nosotros mismos. La interdependencia es nuestra fuerza, no la independencia —meneó la cabeza.

Bel respiró hondamente, lo vio tristemente, tratando de hablar, pero no pudo. Las palabras la ahogaban.

—¿Hay más? —preguntó, incrédulo—. Cuéntamelo , Isabel.

—Hablé con el redactor del periódico hace algunos días —dijo ella, lentamente—. Quería escribir un artículo sobre mí, los cambios en la clínica, y cosas por el estilo. Por supuesto, mencioné el laboratorio, y él dijo que haría otro buen artículo. Se supone que te va a llamar.

—¿Cómo? —Javier sonaba verdaderamente enojado ahora—. Y, ¿cuándo pensabas decírmelo? O nada más, ¿ibas a esperar que me agarraran en curva?

—Te lo estoy diciendo ahora. Además, tú eres el alcalde. Hablas con los medios de comunicación todo el tiempo. Lo del laboratorio no era secreto. Ahora puedes anunciar los dos donativos y saldrás como todo un héroe.

—Isabel, jamás llamas a los medios de comunicación antes de reportar las cosas a tu propia mesa directiva. ¿Por qué insistes en hacerla de renegada? ¿No puedes hacer lo que se te pide jamás?

Ella estaba cansada de ser regañada por hacer lo mejor que podía. Dijo coléricamente:

–Cuando me ordenas algo que tiene sentido, lo hago. Pero uno de estos días, esperar al laboratorio iba a costar vidas. No puedo correr riesgos con eso. Siento mucho que no te agrade, pero ya es un hecho.

—Te estás saliendo de fila, Isabel —dijo severamente—. Si no dejas de darte tanta importancia, no tendremos más remedio que despedirte en cuanto se termine tu período probatorio.

Bel se apoyó sobre su escritorio, pasmada por las palabras de Javier y la intensidad de su ira.

—Estás hablando en serio, ¿verdad?

—Tan serio como un infarto.

—Deberías estar arrodillado ante mi agradeciéndome haber hecho esto. Beneficia a todo Río Verde, a cada familia.

—Y en Río Verde, nos gusta cooperar, no nombrar un nuevo miembro —replicó él—. Pensé que ya habías aprendido eso.

—He aprendido muchas cosas —lanzó ella como disparo, habiendo perdido la paciencia—. Y lo más importante es que quieres controlar todo; mi ejercicio de medicina, tu hija, este pueblo. Pero no puedes. Especialmente en cuanto a mí se refiere.

Ella tenía razón. A él le gustaba tener el control, le gustaba saber que las cosas marchaban como debía de ser, le gustaba que la gente se comportara de cierto modo bien definido.

Pero Isabel no había cooperado desde el día que llegó al pueblo en su coche. Era rebelde contra lo convencional, rebelde contra toda definición, y rebelde contra sus órdenes. Lo agarraba en curva cada que entraba en un cuarto. Profesional y personalmente.

—Simplemente no lo entiendes, ¿verdad, Isabel?

Ella apretó los labios fuertemente.

—Entiendo que me amenazas. A pesar de todo lo que hemos compartido. Pues, adelante. Llévame ante la mesa directiva.

Empujó un botón sobre su teléfono y se oyó el tono de marcar en el cuarto.

—De hecho, vamos a tomar una encuesta informal aquí mismo.

Buscó por su rolodex, encontró los números de los miembros de la mesa directiva, y los marcó.

—Hola —le dijo a Julia García—. Javier y yo queremos tu opinión. Farmacéuticos Austin ha accedido a donar mucho equipo para el análisis de sangre y provisiones para el laboratorio de la clínica. Y la señora Rodríguez también está haciendo un donativo bastante grande. ¿Tenemos que rechazar el donativo de Austin para aceptar el donativo de la señora Rodríguez?

Cinco llamadas más tarde, su discusión no podía considerarse más que un empate, y Bel estaba asombrada. Nadie había sido especialmente comprensivo respecto a lo que ella había hecho ni sus motivos por hacerlo, y había tenido que escuchar al viejo Hilarión Hidalgo sermonearla durante diez minutos respecto a la usurpación de autoridad.

Aunque, al final, nadie estaba dispuesto a rechazar del todo ninguno de los dos donativos. El laboratorio era lo que más importaba, había dicho Julia García, agregando que sería una ventaja para la clínica y para el pueblo. Pero nadie la había felicitado por su logro, aunque parecía verdaderamente agradarles lo que había hecho Javier.

—Bueno, ya estuvo —sonrió ella tristemente. No dejaría que él notara su desilusión ni su dolor.

—De momento. Pero toda esta... insubordinación seguirá siendo un problema, Isabel. No basta con que seas una excelente médico. Tienes que seguir las reglas del juego.

—Tus reglas, quieres decir.

—Las mías, las de la mesa directiva, no importa. El hecho del asunto es que tú no tomas todas las decisiones aquí. Trabajamos juntos.

—Tú eres tan independiente como yo, Javier. Nada más que tratas de disimularlo tras antifaces de cooperación. Pero si realmente quisieras cooperar, me habrías dicho lo que estabas haciendo. No me habrías excluido.

Ella abrió la puerta y le dio su paraguas.

—Tengo trabajo que hacer. Adiós, Javier.

Lo condujo al exterior y cerró la puerta, con llave, tras de él.

Dios, que pesadilla. Y todo había comenzado tan bien. Su laboratorio era ya una realidad, suficiente dinero y equipo para hacer todo lo que necesitaba. El logro de Javier. Que él había alcanzado por ella.

No, no por ella. Por Río Verde. Ella seguía siendo la extraña aquí. Y ahora la estaban calumniando y maljuzgando por hacer su trabajo lo mejor que había podido.

Había pensado que estaba cumpliendo muy bien, mejor que bien. Pensó que la habían aceptado ahí. Pero era más que claro que estaba equivocada. Había pensado que Javier la quería, pero estaba equivocada respecto a eso, también. Alguien que la quisiera no pudo haber pisoteado sus sentimientos y su trabajo tan fulminantemente.

Bueno, nada ganaba con sentarse a compadecerse de sí misma. Tenía trabajo. Tenía que planear su laboratorio.

Y, ¿el resto de sus metas? ¿Ser aceptada? ¿Explorar esa parte de sí misma?

Perdón, papi. Simplemente no funciona. Llegué demasiado tarde. Tengo el apellido pero nada más. Simplemente tengo que aceptarlo.

Y los demás tendrían que aceptarlo también. Incluyendo a Javier.

No se presentó ella en la noche, y al acostarse, él notó que el coche de ella todavía no estaba en la entrada. No la vio corriendo a la orilla del río la mañana siguiente, pero casi nadie corrió por causa de la interminable lluvia. Y Alicia no le pasaba sus llamadas telefónicas.

Isabel estaba enojada. Muy enojada. No era difícil verlo.

Javier estaba todavía bastante molesto. Ella había actuado directamente en contra de sus órdenes al solicitar ayuda a Farmacéuticos Austin, y eso lo irritaba. Pero cuando por fin se había calmado, se había dado cuenta que ella había dicho la verdad. Sólo lo había hecho por Río Verde, y no para ella misma. El laboratorio se quedaba en el pueblo estuviera Isabel o no.

No debería haberla amenazado, ni a ella ni su empleo. Había mejores maneras de manejar este pequeño acto de rebeldía. Si él no lograba encontrar alguna, entonces estaba de verdad demasiado involucrado en la situación.

E involucrado era la descripción perfecta. Eso era la cuestión del problema. En menos de una semana, Isabel se había convertido en parte íntegra de su mente y de su corazón. Y si realmente era honesto con él mismo, admitiría que realmente le gustaría tenerla como parte íntegra de su casa, también. Y de su cama.

Pero era prematuro pensar en eso. No para él, sino para Isabel. A pesar de todos sus avances, todavía tenía mucho por aprender de Río Verde, respecto a su modo de vida. Él tendría que darle tiempo, para seguir enseñándole como adaptarse. Demostrarle que le importaba. Para que algún día pudiera ella creer en ellos tanto como él. Juntos para siempre.

Pero primero tenían que hacer las paces.

Flores y una cena siempre eran un buen punto de partida. Pasaría a la tienda rápidamente para preparar todo antes de que ella llegara a casa. Ella tendría que invitarlo a pasar si se presentaba ante su puerta con comida y flores. Podrían hablar. Quizás hasta hacer planes para su reconciliación el próximo fin de semana.

Y ahora, ¿dónde estaban sus llaves?

Javier buscó por su portafolios dos veces, y luego una tercera vez por si acaso. Nada. No estaban en sus bolsillos ni sobre la mesa de centro ni tampoco en la cocina.

Lidia había manejado desde la escuela con sus propias llaves. Lo cual significaba que probablemente había dejado sus llaves sobre el escritorio de su salón de clases.

Murmuró una palabrota.

—¡Lidia! —llamó, encaminándose hacia el cuarto de ella. Tocó impacientemente sobre la puerta cerrada, y sin esperar respuesta, la abrió.

Lidia estaba frente a su escritorio, su texto de matemáticos abierto, el teléfono contra su oído.

—Estoy hablando por teléfono —le dijo, molesta.

—Dejé mis llaves en la escuela —explicó él—. Quieres llevarme para recogerlas, ¿o prestarme las tuyas?

—Estoy hablando por teléfono —repitió ella, pero cuando él la miró despectivamente, le dijo a su amiga que la esperara. Colocando el auricular sobre su escritorio, caminó hacia la cama donde estaba su mochila. Metió la mano hasta el fondo, buscando su llavero, pero aunque Javier podía escuchar las llaves, ella no las agarraba.

—Ay, por el amor de Dios, Lidia —dijo finalmente, mientras oía de nuevo las llaves, dándole la vuelta—. Nada más saca todo.

Levantó la mochila y la volteó. Libros, sobres, papeles, plumas, apuntes, una revista y un lápiz de labios cayeron sobre la cama. También las llaves.

Y encima de las llaves cayó una tira de papel aluminio de pastillas. Faltaba casi la mitad de las pastillas.

—¡Papá! —lloró Lidia horrorizada, y empezó a guardar sus cosas apuradamente.

Javier recogió la tira de pastillas, viéndolo lentamente. Tardó un momento en identificarlas, pero cuando lo hizo, no pudo controlar ni su enojo ni su desilusión.

—Se las pediste, ¿o Isabel nada más te las dio? —dijo en voz baja, pero con tanta furia en la voz que Lidia dio un paso hacia atrás.

—No es asunto tuyo, Papá —dijo con coraje—. Es entre la doctora Sánchez y yo.

—¡Por supuesto que es asunto mío! Eres mi hija, eres menor de edad, y vives en mi casa. Siempre es asunto mío lo que tú haces.

—Voy a cumplir dieciocho años dentro de un par de semanas, Papá. Una adulta.

Él atravesó el cuarto al escritorio, colgando el teléfono de golpe.

—No me importa si vas a cumplir cuarenta y seis años, siempre y cuando vivas aquí, seguirás mis reglas. ¡Y mis reglas incluyen no acostarte con tu novio!

—Tú lo hiciste —dijo retadora—, ¿o piensas que no sé contar? Yo sé que mi mamá estaba embarazada cuando se casaron, y también tenía diecisiete años. Pero yo soy más inteligente que éso.

Ni siquiera escuchó las palabras de su hija, cegado y sordo por la furia. ¿Cómo pudo hacer esto? ¿Como pudo ignorar todo lo que él le había enseñado? ¡Todo!

Pastillas anticonceptivas eran licencia para comportamiento peligroso. Comportamiento que Lidia no estaba preparada para manejar. ¿No sabía eso Isabel? Porque Lidia lo sabía de sobra.

Hizo un puño a su costado, lívido.

—Estás castigada hasta que te mueras, ¡jovencita! —gritó.

—¡No me puedes hacer eso! —Lidia lo miró con odio, lágrimas de furia llenando sus ojos. Luego, desviando la mirada, empezó a meter sus cosas en su mochila, incluyendo los libros de su escritorio.

—Veme —con una rabia helada, quitó el teléfono de la conexión de la pared, y lo tiró hacia el pasillo. Sacó una navaja de su pantalón de mezclilla y la usó para quitar las manijas de las puertas.

Lidia trató de pasar a un lado de él, pero él obstruyó su paso por completo. Un minuto después, había puesto las manijas de las puertas al revés, y había encerrado a Lidia en su cuarto.

Desde el pasillo, dijo a regañadientes:

—Voy a ver a la doctora Sánchez en este preciso momento. Quédate ahí. Terminaré contigo en cuanto regrese.

—¡No puedes arruinar mi vida, Papá! No lo lograrás, ¡nunca!

Javier dio un portazo a la puerta principal al salir y vio por la entrada. En algún momento durante los últimos minutos, Isabel había llegado a casa. Las luces estaban prendidas en el departamento sobre la cochera.

Jugueteó con sus llaves en una mano, las pastillas de Lidia en la otra, deseando más que nada en el mundo aventar las dos cosas contra algo. O alguien.

En lugar de hacerlo, subió tormentoso hacia el departamento de Isabel, inconsciente de la lluvia que seguía cayendo después de casi una semana. Ni siquiera se molestó en tocar la puerta. Nada más metió la llave que estaba en el llavero de Lidia en la cerradura y abrió la puerta de golpe.

Isabel estaba en la cocina sirviéndose un vaso de jugo de naranja. Caminó hacia ella, aventando la tira de pastillas sobre el mostrador de la cocina.

—¿Qué demonios pensaste que estabas haciendo dando estas pastillas a Lidia?

—¿Qué demonios haces aquí? —contestó Isabel—. No te invité a pasar.

Él señaló las pastillas, pegándoles con su dedo índice.

—Esas, Isabel. Pastillas anticonceptivas. ¿Qué demonios pensaste al dárselas a mi hija?

Ella se tensó.

—¿Cómo te enteraste?

—No importa. Lo que importa es que mi hija está acostándose con su novio. ¡Y tú conocías mis sentimientos al respecto! Cómo pudiste…¿traicionarme así?

—No te traicioné, Javier —dijo ella fríamente—. No tuve otro remedio cuando Lidia me las pidió. Ella quería ser responsable y asegurarse de no embarazarse. Es mi trabajo.

—¡Te has excedido demasiado en tus responsabilidades, Isabel! El doctor Rodríguez jamás habría hecho esto, no sin consultar con los padres. ¡O por lo menos nos advertiría!

—Entonces, estaba violando la confianza de sus pacientes, porque no se nos requiere notificar a los padres respecto a la anticoncepción. Ojalá que no te hubieras enterado, Javier. Pero eso es entre Lidia y yo. Y David. No es asunto tuyo.

—Estás equivocada. Es asunto mío. Lidia es mi hija.

—Tu hija, y ¡no tu propiedad! —replicó cortantemente Isabel—. No puedes cambiar las cosas. Ella tomó su propia decisión y es casi adulta. Ya déjala.

—Tiene diecisiete años. Faltan años antes de que sea adulta. Hasta entonces, yo soy responsable. Yo, Isabel. No tú. No Lidia. Yo soy el que tiene que tomar estas decisiones. Y no quiero que tome la pastilla, y no quiero que se ande acostando con David.

—No importa lo que quieras tú. No puedes controlar su comportamiento. Si lo intentas, es como si pidieras que le suceda a Lidia lo mismo que te sucedió a ti y a Linda.

—¡No es cierto! —gritó él—. ¡Es precisamente lo que estoy tratando de evitar!

—Entonces, ve a disculparte con Lidia y dale sus pastillas. No puedes impedir que la naturaleza tome su curso. Pero puedes minimizar las consecuencias.

—Siempre hay consecuencias, pero sólo algunas son biológicas. No se trata sólo de un problema médico entre Lidia y tú. El sexo entre adolescentes es un asunto familiar y social, y estoy involucrado, te guste o no.

—Pero tú no puedes tomar las decisiones de Lidia, sino nada más las tuyas propias. Y la decisión más grande es de ayudar a Lidia para que no arruine su vida. Carajo, Javier, nosotros tomamos precauciones. ¡No pidas menos de tu hija!

—No tiene nada que ver con nosotros.

—Tú y yo no hemos hecho nada diferente a lo que hacen Lidia y David. ¿Por qué podemos nosotros y ellos no?

—Somos adultos, no adolescentes.

—Y yo no soy tu hija —dijo ella astutamente—. No tiene que ver la edad, ¿verdad? Se trata de doble moralidad.

—No, se trata de… ¡de hacer lo correcto! —espetó Javier—. Se trata de esperar hasta que puedas tomar en serio una relación. Se trata de no separar el sexo del matrimonio y compromiso. Lidia es demasiado chica para andar en serio. Tú y yo… no lo somos.

—¿De qué estás hablando?

Él hizo una pausa, de repente consciente de lo que había dicho. Consciente de la dirección en que estaba dirigido su enojo.

—Cometimos un gran error, Isabel —dijo él lentamente, escogiendo cuidadosamente sus palabras—. Yo cometí un gran error. Entablamos esta relación sin pensar en todo el proceso; conocernos, el amor, compromiso, y luego la intimidad. Deberíamos haber puesto el ejemplo.

—¡No puedes decidir esas cosas con agenda! Hicimos el amor porque era lo correcto para nosotros entonces, y, ¡no dentro de un gran proceso!

—Pero debería haberlo sido. Ese es el problema. Yo pensé que estábamos haciendo el amor, y que sólo era el preludio a algo... algo más. Pensé que pensabas en serio... en cuanto a mí.

Ella lo miró, incrédula.

—¿Q-qué quieres decir con eso? Yo no me entrego casualmente, Javier. Hicimos el amor porque no aguantábamos ni una hora más sin hacerlo. O, ¿no te acuerdas?

—No puedo olvidarlo.

—Yo tampoco —dijo ella suavemente—. Fue maravilloso. Pero no tiene que llegar a más.

—Pero, debe de. Ahí es en donde estriba las diferencia entre tú y yo, Isabel —quitó de su cara un mechón mojado de cabello, y sacudió la cabeza con tristeza—. Pensamos distinto respecto a esta cosa tan fundamental. Y no respetaste mis deseos como padre de Lidia.

—Las necesidades de Lidia eran primero.

—Sus necesidades y mis deseos están relacionados.

—Tú no lo entiendes para nada, ¿verdad, Javier? Lidia ya está madurando, experimentando. Nuestro trabajo, tuyo y mío, es protegerla para ayudarla a tomar las mejores decisiones que pueda.

—Y la mejor decisión es decir 'no.' Ninguno de nosotros hemos podido hacerle entenderlo. Pero es mi hija, así que yo tengo que seguir intentándolo, poner un mejor ejemplo. Demostrarle que esperar la intimidad no sólo es posible, sino preferible.

—¡Intenté todo éso! —exclamó Isabel—. No escucha.

—Entonces, necesito hablar más fuerte. O más suave. O algo. Pero no contigo cerca, esperando a subvertirme o influenciarla.

—¡No es lo que estoy haciendo! Nada más soy su doctora, tratando de protegerla.

Javier respiró hondo.

—Lidia no regresará al trabajo en la clínica. Además, Isabel —agregó a regañadientes—, encuentra otro lado para vivir. Tú contrato de arrendamiento... se ha vencido.

—¡No puedes hacer eso!

—Puedo y lo he hecho. Quiero que salgas antes del domingo.

Dio la vuelta para irse.

—No me siento orgulloso de mí mismo. Dejé que mi necesidad por ti rigiera mi juicio. Debería haberme asegurado que tú querías lo mismo que yo, amor, valores compartidos, compromiso. Matrimonio, Isabel. Las cosas que realmente cuentan entre un hombre y una mujer. Y Lidia no está lista para eso. Tú tampoco, por lo que veo.

—Yo sí quiero todas esas cosas, Javier —dijo ella, desesperada—, ¡pero no en este preciso segundo!

Él agitó la cabeza tristemente.

—No te puedo creer. No cuando lo que compartimos fue tan diferente para ti de lo que significó para mí. No cuando puedes actuar en contra de mis deseos y animar a Lidia a llevar una relación para la cual no está preparada.

—Yo no ando recetando pastillas anticonceptivas para los adolescentes. Lidia las quería, las necesitaba. Mi deber era ver que estuviera segura.

—Y ahora, es mi deber.

Caminó hasta la puerta, la abrió y salió, quedando aún cubierto por el alero. Atrás de él la lluvia caía en hojas, y los relámpagos caían en la distancia.

—Adiós, Isabel. Siento mucho que no se te haya cumplido tu deseo —hizo una pausa, y se oyó un trueno—. Pero quizás fue lo que quisiste. Quizás ya comprendas lo que es importante aquí. Yo ya volví a comprenderlo. Gracias por recordármelo de manera tan clara.

Cerró la puerta contra una ráfaga de viento y Bel se quedó inmóvil. Pasmada. Incrédula.

"Maldito él por su reacción excesiva", pensó. Pegó un puñetazo contra el mostrador de la cocina. "¡Maldito sea!"

Pero era la reacción más común en los padres. Con enojo y desilusión y un poco de miedo. Ella podía comprenderlo, si se esforzaba. Si separaba su propio dolor del dolor de Javier.

Pero luego se había calmado, y fue lo que dijo después que la había confundido. Las palabras racionales respecto al amor y el matrimonio, la familia y compromiso. Como si hubiera decidido que alguna vez quiso todas esas cosas con ella.

Se desplomó contra el mostrador de la cocina. Ni siquiera se había permitido pensar en esas cosas durante doce años mientras se prepara para su carrera. Podrían haber mejorado mucho su vida, podrían haberla hecho más comprensiva con sus pacientes en cuanto a sus problemas, pero jamás se había dado el tiempo ni el lugar para esas cosas.

Y ahora, gracias a Javier Montoya, esos pensamientos, esos arrepentimientos, giraban por su mente como un tornado. Las cosas que habían faltado en su vida, las cosas que había pospuesto, las cosas que quizás jamás llegara a tener.

Eran cosas que quería, pero jamás se había permitir buscar. Tenía treinta años y no tenía nada aparte de unas siglas tras su nombre. Sin amor. Sin marido. Sin hijos.

La pasión podía estar en el alma del latino, pero su corazón estaba en el hogar y en la familia. Javier había pintado ese cuadro con exquisitos detalles esta noche. Le había dicho que pudo haber sido algo que ellos compartieran.

Pero ahora no.

Cuando ella había venido a Río Verde, había querido comprender esta cultura, permanecer en ella, de ser posible. De repente entendió, pero ahora jamás sería parte de ella. Las diferencias eran demasiado patentes, demasiado fundamentales.

De decir la verdad, aún con lo que comprendía ahora, no habría hecho nada distinto. Todavía habría hecho lo que había pensado que era lo mejor para la clínica y para sus pacientes. Aún en el caso de Lidia.

No. Especialmente en el caso de Lidia. O de cualquiera de sus amigas.

Todavía habría peleado con Javier, y todavía habría hecho el amor con él. No se arrepentiría de eso. Había sido demasiado brillante, demasiado dulce, demasiado mágico.

¿Pero amor? ¿Matrimonio? Requerían confianza y respeto, y ella no recibía ninguna de esas dos cosas de parte de Javier. No al hacer su trabajo. No al usar su mejor juicio profesional. No al cuidar a Lidia. Ni a él.

Ya no quedaba esperanza alguna para ellos. Él tenía absolutamente toda la razón. Eran demasiado distintos. Él tenía una muy clara idea de lo que ella debería ser, y ella no era ese tipo de mujer. Ella era ella misma, y no era suficiente para Javier.

No era justo. Finalmente saber lo que quería y lo que necesitaba, comprenderlo y tenerlo casi a su alcance.; solamente para ver que todo se destruía en cuestión de segundos. Simplemente no era justo.

Pero la vida no era justa. Ella lo sabía. Simplemente jamás lo había vivido de manera tan dolorosa antes.

Se apoyó contra el mostrador de la cocina y descansó la cabeza sobre su mano, escuchando la tormenta de afuera que hacía eco de la tormenta que sentía en su corazón.

El viento golpeaba contra sus ventanas y puertas, y silbaba bajo los aleros del techo de la casa. Chasqueaba y tronaba, iluminaba los rincones más oscuros de su sala con una macabra luz blanca.

Golpeó.

¿Golpeó? No, los golpes no venían de la tormenta. Había alguien golpeando contra su puerta.

¿Qué clase de idiota andaba en la calle en una noche como ésta? No le importaba. No iba a contestar la puerta. Estaba cansada y deprimida.

Se oyó el golpe de nuevo, y apretó los dientes, sin moverse.

—¡Abre la puerta, Isabel! —gritó Javier—. ¡O la abro yo!

—¡Vete! —espetó ella—. ¡Nada más vete!

Se abrió el seguro, y Javier entró, su mano extendida. Estaba empapado, su cabello aplastado a su cabeza, su pantalón de mezclilla pegado a sus piernas.

—Necesito tu coche —dijo gravemente—. Dame tus llaves.

—¿Estás loco? Usa tu propio coche.

—Ojalá y pudiera. Pero Lidia debe de haberlo arrancado haciendo puente. No está. Y tampoco ella.

CAPÍTULO NUEVE

—No puede haber llegado muy lejos —dijo Bel con toda calma, deslizándose rápidamente hacia su personalidad profesional. Distanciada y tranquila. Si no lo hacía, lo empujaría de nuevo a la tormenta, cerrando la puerta tras de él con un fuerte golpe.

Notando su aspecto, era obvio que Javier necesitaba ayuda. Mucha. Y ayudar era su trabajo, ante todo.

—¿Has llamado a sus amigos? —preguntó—. ¿A David?

Negó con la cabeza, lanzando gotas de lluvia en todas direcciones.

—Volví de inmediato.

—Llámalos —dio un paso lateral para dejarlo pasar a la cocina, donde se encontraba el teléfono. Si no está con alguno de ellos, iremos a buscarla en el coche.

—No quiero que me acompañes, Isabel.

Ella se encogió de hombros, controlando el dolor que le provocaban sus palabras.

—Es mi coche. Ella es mi paciente. Yo manejo, o puedes llamar a otra gente —le entregó el auricular del teléfono y caminó en dirección de su cuarto—. Decide tú. Yo voy a cambiarme de ropa.

Tres minutos más tarde estaba de regreso, vestida descuidadamente en camiseta color verde de bosque, calcetas gruesas y botas para la lluvia. Cargaba una gabardina y un paraguas.

—Ella no se encuentra con ninguno de sus amigos —reportó Javier—. No está en la casa de David, tampoco, pero él aún no llega de la práctica de fútbol, y debería haber llegado hace una hora y media.

—Está con él —dijo Bel severamente—. Veremos primero en la escuela, pero lo más probable es que ya se hayan ido. ¿A dónde irían?

—Probablemente por el río, pero no en una noche como ésta. Con toda esta lluvia, podría desbordarse en cualquier momento — ahora Javier sonaba casi preocupado, su voz trabándose en la garganta—. Tienen que estar simplemente dando la vuelta. Quizás fueron a comer.

—Esperemos. Vamos —dijo ella, agarrando sus llaves y cartera, luego de aventar a Javier el paraguas para salir por la puerta.

Arrancó el coche y salió de la entrada en reversa. Ya conocía las calles de Río Verde, y maniobró el vehículo con facilidad por las resbalosas calles del pueblo. Entrando al estacionamiento de la escuela, vio media docena de coches todavía estacionados cerca de los vestidores de los muchachos.

—¿Conoces alguno de ellos? —preguntó a Javier.

—Sí —dijo sin emoción—. Ese coche plateado. Es de David.

Abrió la puerta y corrió por la lluvia hacia los vestidores. Reapareció unos minutos más tarde, subió al coche, reportando bruscamente:

—El entrenador dice que David salió a tiempo. Lidia debe de haberlo estado esperando.

—Y, ¿ahora a dónde?

Él meneó la cabeza.

—Maneja por el pueblo. Vamos a ver en la casa de David. Si no están ahí… —apretó un puño y no terminó la frase.

No había seña de ellos en la casa de David, aunque sus padres prometieran llamar en el momento que llegara David. Luego manejaron por el pueblo media docena de veces, parándose en las casas de los amigos de Lidia, buscando el camión de Javier por las calles. Jamás lo vieron.

—Tenemos que ver por el río —dijo Bel finalmente, girando el vehículo sobre el angosto camino rural que iba en dirección del río. Manejó poco más de un kilómetro hasta llegar a la parte del río donde dijo Javier que se juntaban los jóvenes.

Hizo el cambio a doble tracción y manejó abajo hasta llegar a la mitad del dique, cerca del río. Algo brillaba en la luz de los faros. Cambió las luces a altas, y señaló con el dedo.

—¡Ahí! A unos quinientos metros. ¿Lo ves?

La camioneta roja de Javier estaba sobre la orilla del río, el agua llegando hasta por arriba de las llantas. La parte delantera había chocado contra un álamo.

Bel maldijo y puso el vehículo en reversa. Las llantas resbalaron, y agitó el volante, tratando de buscar tracción en el lodo del dique.

—¡Detente! —gritó Javier—. ¡Déjame salir! Si están ahí…

—Tengo que regresar al pavimento sólido —dijo ella, apretando los dientes y acelerando el motor—, o jamás podremos ayudarlos.

Finalmente el vehículo agarró tracción y Bel logró manejarlo de nuevo al camino. Antes de pararse, Javier saltó del coche y corrió hacia su camioneta. Agarrando una lámpara y su maletín médico, Bel lo siguió.

El piso estaba suave, y Bel se hundió hasta los tobillos en la tierra suave. Apuntó la lámpara frente a ella, el fuerte bulbo de halógeno cortando la obscuridad y lluvia con su luz. Javier ya estaba a cien metros delante de ella, abriéndose paso por el lodo y el agua que le llegaba hasta las rodillas, sin parar.

Llegó a la camioneta y abrió la puerta, pegando a los asientos. Nada.

—¡Lidia! —gritó— ¡David! ¿Dónde están?

Bel se movió más rápido por el dique, en dirección diagonal para mejorar su estabilidad. Echaba la luz de la lámpara de un lado al otro, tratando de ver si algo humano se movía aparte de la fuerte corriente del agua. Pero no sirvió de nada.

—Javier, ¡regresa! —gritó—. Vas a...

Pero sus palabras se perdieron en el momento que un muro de agua chocó contra él, tirándolo. Desapareció, su cabeza hundiéndose bajo la fuerte oleada de la negra agua helada.

—¡Javier! —gritó, corriendo hasta la orilla de la fuerte corriente de agua, su lámpara echando luz río abajo.

"Exactamente lo que pudo haber pasado a Lidia y David también", pensó, ya con pánico. Nada más que ellos podrían estar heridos, además de todo. Murmuró una grosería, luego una oración. "Deja que estén bien todos, Dios mío. No dejes que termine todo así."

"¡Espera!" Ahí... unos cien metros río abajo. La cabeza de Javier había subido del agua, y estaba jadeando para respirar y estaba moviendo los brazos, ahora nadando en ángulo, contra la corriente, tratando de salir de la oscura agua bramante.

Bel volteó y corrió hacia él. Se quedó fuera de la parte desbordada, arriba donde el dique era más escarpado, lista para agarrarlo si se acercaba suficientemente.

Tropezó al pararce dando tumbos, tosiendo y escupiendo agua. Bel estaba a escasos pasos tras de él ahora.

—Agárrate, ¡Javier! —gritó, desesperada por que la escuchara sobre el ruido de la lluvia y el viento.

Él se tambaleó hasta llegar donde el agua apenas tocaba sus pantorrillas. Alcanzándolo, Bel envolvió su mano sobre el brazo de él y lo ayudó sacarlo totalmente del agua.

Él tosió otra vez, escupiendo el agua que había inhalado al sorprenderlo la primera ola.

—¿Estás bien? —Bel exigió respuesta, ayudándolo a sentarse sobre el dique, con las rodillas dobladas, la cabeza entre las rodillas.

—Sí —dijo, resollando.

Ella levantó su cabeza y echó la luz de la lámpara sobre su cara, sus ojos, y cabeza. Tenía muchos rasguños profundos y estaría amoratado en unos días. Y sobre su frente había una cortada que todavía chorreaba sangre. Ella empujó su cabello hacia atrás, pegajoso por la sangre, para verlo bien. La cortada era irregular y profunda. Dios, sí necesitaba suturarse.

Y no había manera de que pudiera llevarlo a ciento veinte kilómetros con el mal tiempo, con la desaparición de Lidia, cuando lo podía suturar ella misma. Además, ya no estaban involucrados emocionalmente. Lo que pasaba es que simplemente no se había acostumbrado ella a la idea todavía.

—¿Quién eres? ¿Dónde estás? —preguntó ella, para estar segura que él estaba pensando con claridad.

—Tú sabes quien soy, Isabel. Estamos buscando a mi hija —en su voz sonaba la desesperación—. ¿Dónde estará?

—¿No viste a ninguno de los dos? —ella abrió su maletín y encontró un paquete de papel. Abriéndolo, sacó un grueso cuadro de gaza.

Javier meneó la cabeza, y la sangre se derramó por su cara. Bel la limpió con la gaza, y luego tocó la cortada con la misma gaza, levantando la mano de él para sostenerla en el lugar.

—Tuvieron un accidente —dijo Bel firmemente—, pero deben de haber estado suficientemente bien como para salirse a buscar ayuda.

—Pero si estaba desbordándose el río como ahora…

Bel no contestó. No tenía caso alarmar aún más a Javier.

—Vamos —dijo abruptamente—. Quiero decirle al aguacil que encontramos la camioneta. Ellos podrán peinar al condado más rápido que nosotros.

—Y luego vamos a la clínica —agregó ella—. Necesitas suturas.

Ignorando el brazo extendido de ella, Javier se levantó, y regresó a la camioneta por su propio pie. Se acomodó en el asiento del pasajero mientras Bel se subió atrás, buscando las toallas que guardaba ahí para lavar el coche.

—Toma. Sécate —le entregó las toallas y arrancó el motor, subiendo la calefacción a "alto."

Miró de reojo a Javier. Estaba sentado derecho, serio y tenso y muy, muy pálido. Parecía en estado de golpe.

—Pon la cabeza hacia abajo durante un momento —le ordenó.

La ignoró.

—Estoy viendo las orillas del camino —dijo cortante—. Si están caminando, no quiero perderlos. Y maneja más despacio.

¿No era clásico en él? Tratando siempre de controlarse a sí mismo y a todos los que lo rodeaban, aún con una herida en la cabeza.

Pero su hija estaba desaparecida. Con su novio. Y un coche chocado. Qué otro remedio le quedaba para controlarse, ¿aparte de ladrar órdenes? Su mundo había girado totalmente fuera de su control esta noche, así que hacía lo que mejor sabía hacer. La alternativa era impensable.

¿Qué había sido eso? Un par de luces azules destellantes venía hacia ellos, y ella aminoró la velocidad para dejar pasar a la patrulla del aguacil. El asistente del aguacil se paró al lado de ella, bajó la ventanilla del vehículo, haciendo señales para que ella hiciera lo mismo.

—Regrese. El río se lo llevó el camino ahí adelante. Acabamos de bloquearlo.

Javier se inclinó.

—¿Quién eres? ¿Pepe? Soy yo, Javier.

—¿Qué haces afuera esta noche, Javier? Esto está espantoso.

—Quiero que se transmita un boletín sobre mi hija, Lidia. Y David Silva —gruñó—. Se largó esta noche en mi camioneta. Encontramos la camioneta cerca del río; tuvieron un accidente. Pero no estaban en la camioneta, así que deben de estar buscando ayuda. ¿No viste nada por aquel lado del camino?

El joven alguacil se alarmó tanto por las palabras de Javier como por su tono.

—N-no, Javier —dijo rápidamente, agarrando el micrófono del radio. Rápidamente dio la información de Javier al despachador, y unos segundos después, el radio difundió el boletín para buscar a Lidia y David.

—¿Te vas a tu casa? —preguntó el ayudante—. ¿Es ahí donde debemos llevarlos?

—Vamos a la clínica de Río Verde primero —dijo Bel—. Si encuentra a los muchachos, llévelos ahí. Yo soy la doctora Sánchez, y debería revisarlos antes de que se vayan a casa.

—Sí, señora —dijo el ayudante, y se alejó.

Bel metió el coche en reversa para dar la vuelta, cuando de repente Javier puso las manos sobre el volante.

—No. Sigue por este camino. Pepe no estaba buscando, y no quiero arriesgarme a que estén heridos por ahí. Este vehículo tiene doble tracción. Estaremos bien.

—Con qué facilidad lo dices tú —murmuró ella—. No es tu coche.

—No. —replicó—. Es mi hija.

Volvió a meter la palanca de las velocidades a primera y siguió el camino, sin aminorar la velocidad hasta acercarse a la barricada amarilla que bloqueaba la ruta. Gruñendo, Javier bajó del coche y la empujó a un lado. Volvió a subir y siguieron el traqueteo del camino quebrado.

Manejaron otro kilómetro y medio, buscando cuidadosamente señas de Lidia y David sobre las orillas del camino. Pero no vieron nada aparte de los profundos charcos y repentinos relámpagos.

—¡Detente! —gritó con el próximo rayo.

Bel puso el freno, apenas esquivando una enorme alcantarilla descubierta frente al coche.

—Hasta aquí llegamos —anunció Javier—. Si pasamos por esa alcantarilla, romperemos la parte de abajo del coche. No servirá de nada si estamos atrapados también.

Javier abrió su puerta y agarró la lámpara.

—Veré que hay. Espérate aquí.

Corrió hasta la alcantarilla, que todavía tenía parte de su cubierta en su lugar. Arrodillándose, prendió la lámpara y miró haci adentro. Un segundo después estaba ayudando a David a salir, señalando frenéticamente a Bel para que se acercara.

Ella agarró su maletín y bajó del coche, sin poder creer que realmente los habían encontrado. ¿Pero en qué estado?

En un mejor estado que si los hubieran encontrado hasta la mañana siguiente, se dijo.

David estaba temblando con el frío, Lidia llorando, todavía acurrucada para medio protegerse de la lluvia. Javier tenía extendida la mano hacia Lidia, pero Lidia no la tomaba.

—¿Puedes caminar? —preguntó Bel a David.

—S-sí. Y-yo cargué a L-Lidia casi to-todo el ca-camino hasta acá. C-Creo que deberíamos haber ido en dirección opuesta —le chasqueaban los dientes, estaba empapado y lucía muy mal.

—Llévalo al coche —le dijo a Javier—. Te llevaré a Lidia en un momento y puedes hablar con ella entonces —volteó hacia la muchacha y dijo suavemente:

—Lidia, ¿qué te duele?

—¡Todo! —sollozó la chica—. Mi hombro. Mi pecho.

—¿Te duele respirar?

—Un poco.

—Está bien. Voy a ayudarte a salir y vamos a manejar a la clínica. Nos va a acompañar tu padre. Está muy preocupado por tí.

—Sí, como no.

Un alivio mezclado con pánico llenó a Bel. Lidia podía estar herida, pero su actitud estaba intacta.

—Olvida lo que sucedió esta tarde —dijo, extendiendo las manos hacia la alcantarilla para ayudar a Lidia a estirarse—. Tienes que concentrarte en el ahora.

Arrastró a Lidia hacia afuera y la ayudó a pararse derecha. Revisó apresuradamente a la chica. Su brazo derecho colgaba incómodamente a su lado, estaba sosteniendo su abdomen con el otro brazo, y respiraba sofocadamente. Bajo la luz deslumbrante de la lámpara, Bel se dio cuenta que estaba muy pálida y demacrada, con un gran moretón bajo un pómulo.

—Bueno, vamos a caminar despacito —dijo Bel, rodeando un brazo alrededor de Lidia para apoyarla. Pero no habían dado ni media docena de pasos lentos cuando Javier volvió a acercarse, haciendo a Isabel soltarla y levantando a la chica entre sus brazos.

No dijo nada, nada más la cargó al coche como si fuera una niña pequeña. Lidia estaba tensa al principio, y luego se desplomó contra Javier y sollozó. Aún con el ruido de la tormenta, Bel pudo escucharlo canturreando. Parecía como canción de cuna.

—Maneja tú —le dijo a Javier cuando éste colocó a Lidia en el asiento de atrás—. Yo necesito hablar con ellos.

Poco a poco, Bel logró entender lo que había pasado. Lidia se había escapado por la ventana de su recámara, y, como lo había sospechado Javier, había arrancado su camioneta con los alambres eléctricos. Había manejado a la escuela para esperar a David. Luego se habían ido juntos. Habían paseado durante mucho, mucho tiempo hasta que Lidia se había calmado un poco.

Finalmente habían decidido ir a ver que como estaba el río.

No les había parecido tan peligroso desde el camino, así que habían empezado a bajar por el dique. Habían perdido la tracción a la mitad de la bajada, y empezaron a resbalarse, deteniéndose sólo cuando la parte delantera del camión chocó contra un árbol.

—No íbamos tan rápido —dijo David—. Ni siquiera explotó la bolsa de aire. Pero Lidia no estaba usando su cinturón de seguridad...

Lo cual explicaba el hombro dislocado y la costilla fracturada que sospechaba Bel. Y quizás otras heridas.

Tuvo que preguntar.

—¿Bebieron algo? ¿Usaron alguna droga? Es importante.

Los dos adolescentes la vieron horrorizados.

—Tomaré la expresión como un 'no.' Pero hay cosas que no les puedo dar si tienen esas sustancias en el cuerpo.

Javier, notó con asombro, era un ejemplo de propiedad. Nada de interrogatorios, nada de exigir que le dijeran donde había aprendido Lidia a robarse los coches, nada de acusaciones lanzadas contra David. Se limitó a manejar.

Una vez adentro de la clínica, Bel prendió las luces hasta que el lugar quedó deslumbrante.

—Quítense esa ropa mojada —ordenó, entregando a cada uno una bata blanca de la clínica y una sábana. Luego se lavó las manos, se puso guantes latices y preparó un par de jeringas.

Miró a Javier. Era irónico. Podía recetar a la chica sin consentimiento paternal. Pero para tratarla ahora, necesitaba la aprobación de Javier.

Él asintió con la cabeza, y ella inyectó a Lidia en el hombro.

Voy a tratar de meter tu hombro en su lugar —dijo ella—. Esto debe quitar el dolor.

Mientras esperaban, David llamó a sus padres. Javier se negó a dejar el lado de Lidia, no obstante lo que estuviera haciendo Bel. Se quedó con ella durante las radiografías, los jalones y empujones mientras re-posicionaba su hombro, mientras vendaba sus costillas. Sostuvo su mano hasta que se quedó dormida, la mezcla entre el dolor y la anestesia combinándose para ponerla fuera de combate.

Mientras se revelaban las radiografías, Bel examinó a David. Todavía estaba temblando, mojado y cansado. Pero había estado usando su cinturón de seguridad, y se había escapado sin heridas graves.

—Un baño caliente, una cena y mucho reposo —les dijo a los padres de David cuando llegaron. Apuntó su número de teléfono en un papel y se los entregó a ellos—. Debe de estar bien, pero si ven algún cambio o si tienen alguna pregunta, pueden llamarme aquí o a mi casa.

Después de retirarse ellos, era hora de arrinconar a Javier.

Se desplomó sobre el banco al lado de la plancha de exámenes, de repente exprimida. Se le había desvanecido la carga de adrenalina, y con ello su enojo. No se sentía como la doctora Sánchez ahora, sino Bel, nada más. Y Bel estaba rendida y triste.

Respiró profundamente. Y otra vez. De alguna manera tenía que armarse con su personalidad profesional de nuevo. La doctora podría curar a Javier sin partírsele el corazón. Pero Bel...

De algún lado muy profundo dentro de sí misma, sacó valor que no sabía que le quedaba. Poniéndose de pie, se quitó los guantes latices y volvió a lavarse las manos. Se puso otro par fresco de guantes y adormeció la frente de Javier mientras Lidia dormía.

Primero limpió la herida con alcohol. Debería haberle ardido; no esperó mucho entre la anestesia y la limpiada. Sin embargo, Javier ni se inmutó, y no dijo nada. Aceptó todo.

Abriendo un nuevo paquete de suturas, metió la aguja a cada lado de la cortada. Agarró la aguja, ató la sutura y la cortó, y repitió la misma acción. Puso nueve puntos de sutura antes de pasarle un espejo.

—Me parezco monstruo —dijo él calladamente.

—No por mucho tiempo —y tapó su obra maestra con una venda. Luego limpió su brazo con alcohol y lo picó de nuevo—. Vacuna antitetánica. Por si acaso.

Tapó la aguja, la rompió y la depositó en un contenedor plástico para desechos. Quitándose los guantes latices, dijo:

—Creo que podemos irnos ahora. Pero me gustaría... quedarme con Lidia esta noche. Quiero seguir viéndola en caso de una contusión cerebral.

—Yo puedo hacer eso.

—Yo soy su médico. Sé lo que estoy buscando.

—Está bien —dijo Javier, asintiendo con la cabeza. Levantó a su hija durmiente entre sus brazos y la puso cuidadosamente en el asiento trasero del coche de Bel. Cinco minutos más tarde, estaban en casa. Bel se apresuró a subir a su departamento a cambiarse. Javier llevó a Lidia a la casa para acostarla.

—Ay, Lidia —murmuró, acomodándola en su cama como si tuviera tres años y todavía fuera su bebita—, ¿Qué es lo que nos ha pasado? Estuve a punto de morir cuando vi esa camioneta, pensando que estabas herida o quizás peor. Jamás he tenido tanto miedo en mi vida entera.

—¿Papá? —dijo entre sueños—. Lo... siento. Por lo de la camioneta. No debería...

—Shh. Es sólo un objeto. Pero tú... tú jamás puedes ser reemplazada. Estuve tan preocupado esta noche, preciosa. Casi me volví loco buscándote.

—Me agrada que nos hayas encontrado —cerró los ojos durante un minuto, para luego abrirlos de nuevo, mirando directamente a los ojos de su padre—. Lo siento, Papá. No debería haberme escapado así. Debería haberme quedado aquí para pelearnos. Habría sido más maduro de mi parte. Me supongo que todavía me falta aprender algunas cosas.

Él tomó la mano de ella entre las suyas para acariciarla.

—Yo no podría seguir adelante si algo te fuera a suceder. Eres lo único que me importa. No importa David. Ni siquiera importa... —tragó en seco, sin poder terminar—. Te amo, Lidia. Eres mi vida.

—Necesitas conseguir otra vida, Papá —dijo suavemente—. Yo también te amo, pero ya soy casi adulta. Me iré de la casa el año entrante, y ya no podrás controlar mi vida. Necesitas acostumbrarte a soltarme. Confiar en mi. Dejarme tomar mis propias decisiones. Dejarme aprender de mis propios errores.

Él no contestó.

—¿Qué tan feo regañaste a la doctora Sánchez?

Tampoco contestó.

—Ay, Papá. Cuando piensas que tienes razón, eres como perro feroz. ¿Ya le ofreciste una disculpa?

—Se terminó, Lidia. Le debo por haberte cuidado, pero...

Lidia bufó, luego hizo una mueca de dolor.

—Ella es lo mejor que te ha pasado en años. Yo me voy dentro de seis meses, ¿te acuerdas? Mas vale que empieces a convencerla que se quede.

Santo Dios, ¿cuándo se había vuelto Lidia tan perceptiva en asuntos del corazón? Realmente estaba madurando. Y él no estaba del todo seguro si le agradaba la idea.

—Empieza con una disculpa —agregó Lidia con un destello de su propia personalidad—. Y, ¿cómo puedes compensarla? Flores. Chocolates. Control de tu mal carácter. Quizás deberías renunciar a la dirección de la mesa directiva. Tiene que odiar el hecho de tenerte de entrometido en su trabajo. A ti no te agradaría.

—Gracias, doctora corazón —replicó él—, pero no estoy pidiendo tus consejos. La doctora Sánchez y yo...

—Ya no estamos juntos —dijo Isabel suavemente desde la puerta de Lidia.

Javier volteó, sorprendido. ¿Cuánto tiempo habría estado parada ahí?

Estaba vestida de gris, una suave túnica tejida, y zapatos sin tacón del mismo color, y había recogido su cabello color de miel. El gris no le iba bien; le hacía verse pálida de cara, frágil y vulnerable.

Pero con un demonio, tal vez lo fuera. Ni él mismo estaba sintiendo su acostumbrado control de las cosas. Había estado a punto de perder su vida entera esta noche. No podría haber sobrevivido de haber perdido a Lidia. La vida habría sido insoportable sin ella.

¿Y de perder a Isabel? Con la voz de Lidia, se dio cuenta de repente. ¿No había sido verdad lo que había dicho en la noche? ¿Respecto al amor, compromiso y matrimonio? ¿No sería posible todo eso con Isabel?

No habría sobrevivido esta noche sin ella. Ella había estado tranquila y equilibrada cuando él había estado a punto de rendirse por la desesperación. Ella mantuvo la calma cuando habían encontrado a los muchachos, y los había tratado con sincera preocupación y sumo cuidado. Y ahora estaba aquí, habiendo ya cumplido con su deber hacía horas, revisando los ojos de Lidia y su pulso, asegurándose que pasara la noche sin complicaciones.

¿Cómo podía más que quererla y admirarla? ¿Aún cuando pelearan?

¿Cómo podría convencerla de darle otra oportunidad?

Isabel se paró al lado de él, tomando la muñeca de Lidia.

—¿Cómo te sientes?

—Cansada. Estúpida. No puedo decirle cuanto lo siento doctora Sánchez. Pero no sabe cuanto me agrada que hayan llegado usted y mi padre cuando llegaron.

—Yo también. Estás bastante bien, Lidia. Me voy a quedar cerquita toda la noche, por si acaso me necesitas. Pero, duérmete ya.

—Gracias. Recuerda lo que dije, Papá —Lidia cerró sus ojos y se quedó dormida en cuestión de segundos.

—Déjala descansar —dijo Javier, tomando la mano de Isabel para acompañarla fuera del cuarto.

Pero Isabel evadió su mano.

—Me quedaré. Quiero estar segura que respira bien.

Él movió la silla de en frente del escritorio de Lidia hacia un lado de su cama, y luego trajo una de la cocina para si mismo. Se sentaron lado a lado casi en la oscuridad, con sólo la luz del pasillo iluminando el cuarto.

¿Habrían pasado escasas seis horas desde que se le había volteado su mundo entero? Desde que Lidia había declarado su paso a la madurez, ¿qué él se había rehusado a aceptarlo? ¿Desde que la había rechazado por su furia provocada por miedo casi perdiéndola para siempre? ¿Desde que Isabel había tomado el control ayudándolo en cada paso tan crítico? ¿Probando su valor? Su valor ante él, ante Lidia y ante Río Verde.

El mundo sí que podía cambiar en un instante, y su mundo había cambiado. Dobló las manos y juró con fervor que jamás volvería a arriesgarse con esa clase de ira, ese tipo de condena de alguien a quien amaba. Contra quien fuera.

Lo había hecho a Isabel, pero gracias a Dios, no había funcionado. Ella lo había confrontado a diestra y siniestra, y de repente le dio gusto que así lo hiciera. De no haberlo hecho, de haber sido intimidada por la fuerza de él, o por su terquedad, no habría estado ahí para rescatar a Lidia. A rescatarlo de sí mismo. Le debía su mundo entero.

—Isabel —dijo en voz baja, alcanzando de nuevo su mano. ¿Qué había dicho Lidia? Que empezara por ofrecerle una disculpa.

—Lo siento. Fui... fui un absoluto idiota esta noche. Te dije cosas horribles, y ojalá que pudiera retirar lo dicho. Pero lo único que puedo hacer es ofrecerte una disculpa, y pedirte que me permitas que te compense el mal que te he hecho.

Isabel cruzó sus brazos sobre el pecho, resistiendo ser tocada por él. Tenía la mirada fija hacia adelante, su perfil en la sombra con la luz del pasillo a sus espaldas.

—Es demasiado tarde, Javier —susurró—. Acepto la disculpa, porque no deberías haberte portado como te portaste. Pero nada más. No vamos a hacer las paces. No vamos a volver a empezar. Q-quiero que la mesa directiva dé por terminado mi contrato para dejarme ir. No hay lugar para mí en este pueblo.

—Sí hay lugar. Fui un ciego, Isabel. Y fui estúpido. Pensé que importaba que no fueras de aquí, pero no es cierto. Lo único que importa es que te importemos. Tus pacientes lo pueden palpar. Me lo dicen todos los días. Lidia y David lo saben. Salvaste sus vidas esta noche.

—Y yo también lo sé, Isabel. Mejor que cualquiera otra cosa que haya sabido en toda mi vida.

—Así que ya probé mi valor, ¿no es así?

—Una y otra vez. Nada más que fui demasiado estúpido para darte el crédito que merecías.

—Y ahora, ¿todo ha cambiado? —había sarcasmo en su voz, y dolor.

—Hoy todo cambió. Todo. Ya estoy viendo al mundo de otro modo, completamente, porque estuve a punto de perder todo lo que amo en la vida. Lidia. Y tú, Isabel. No quiero que llegue la mañana sin que las dos sepan éso.

Ella suspiró, extendiendo la mano para tentar la frente de Lidia, y Javier aprovechó la oportunidad. Puso su mano sobre la de ella, entrelazando sus dedos con los de ella, los dos tocando la cara de Lidia.

Isabel levantó su mano y trató de desenredar sus dedos de los de Javier, pero él no la soltaba. Levantó la mano de ella hacia su boca, para besar su palma, su muñeca, y la miró seriamente.

—¿Me escuchaste, Isabel? Te amo. Quiero pasar el resto de mi vida demostrándotelo. Te quiero aquí, en Río Verde, en mi vida y en mi casa. En mi cama, Isabel. En todos los lugares que te pertenecen.

—¡Detente! —lloró ella, levantándose de un brinco y arrebatando su mano. Caminó fuertemente a la puerta y le señaló que la siguiera.

Cuando llegaron a la sala, ella giró, los puños apretados a sus costados.

—Escúchame, Javier. Nada más voy a decir esto una sola vez. Dices que me amas, ¿pero sabes qué? El amor es sólo un sentimiento. No cuenta sin respeto y confianza. Hacia mi y hacia mis decisiones.

—Desde el momento en que llegué, has cuestionado lo que hago por la clínica y lo que hago por mis pacientes. Pensé que ya habíamos superado esa etapa hace unas semanas. Pensé que empezabas a tenerme cariño, comprenderme, confiar en mí, y respetarme. Y luego llegaste hecho una furia esta tarde, recriminándome no haber cumplido… tus deseos.

—Un hombre que me amara y me respetara no me haría eso. No así.

—Ahora dices que han cambiado las cosas. Y puede ser cierto. Durante un rato. Pero qué pasará en unos seis meses, ¿cuando los traumas de hoy pasen al olvido? Volverás a ser el mismo de antes; arrogante, controlador, tratando de manejar todo a tu antojo.

—Yo no puedo vivir así. Interfieres en mi trabajo, tratas de tomar decisiones que no te corresponden.

—Yo quiero un hogar y una familia y un hombre para amar. Uno que me ame. Pero no puedes ser tú, Javier. No puede ser aquí.

Sus palabras fueron como espadas que atravesaban el corazón de él, pero Javier Montoya jamás se dejaría vencer.

—Isabel, quiero otra oportunidad. Nada más una oportunidad. Yo sé que soy de carácter... difícil, pero es porque me importan mucho las cosas. Y de verdad te amo. No me había dado cuenta cuánto hasta esta noche.

—El amor no es suficiente, Javier.

—Es el mejor punto de partida.

—No puedo —ella tragó en seco, fuertemente, y lo miró con pena, y absoluta firmeza, en los ojos, brillando por las lágrimas.

—Hay demasiadas diferencias entre nosotros, demasiadas cosas que ninguno de los dos podemos comprender. No puedo ser la mujer que quieres ni la que necesitas. Lo... lo siento.

Lo dejó con la palabra en la boca y caminó de vuelta al cuarto de Lidia.

—Te llamaré si hay algún cambio. Vete a dormir, Javier. Ha sido un día muy duro.

Entró de nuevo al cuarto de Lidia y cerró la puerta tras de ella. Él la escuchó moviendo el pomo de la puerta, y recordó que tendría que arreglarla el día siguiente.

Tendría que arreglar muchas cosas mañana. Pero no dudaba poder lograrlo. Javier Montoya jamás fallaba cuando se fijaba una meta.

Isabel Sánchez era su meta. Ni cuenta se daría cuando ya habría caído. Pero tendría un nuevo apellido, y una nueva vida. Con él, y aquí mismo en Río Verde.

CAPÍTULO DIEZ

"Bueno, ya fue todo", pensó Bel, firmando su nombre al calce de la carta. Su renuncia. Ya había terminado con Río Verde. Terminado con tratar de encontrar esa otra parte de sí misma. De aquí en adelante, sería Bel Sánchez, M.D. a secas. Nacida en el medio-oeste y educada ahí mismo, y aceptando quien era. Y punto.

Y después de esta noche, habría terminado de una vez por todas con Javier Montoya. Había tenido que soportarlo unos cuantos días más después del percance de Lidia, porque la chica había desarrollado una pulmonía fulminante. Bel había pasado todas las noches a revisar su tratamiento, hasta ver por fin que estaba mejorándose.

Y todas las noches la acosaba Javier. Le llevaba flores, chocolates, sopa casera de tortilla. Dejaba mensajes en su máquina contestadora, y notitas firmadas por "JM" aparecían misteriosamente sobre su escritorio en la clínica.

Peor aún, había conseguido la ayuda de Lidia, que desde el accidente había cambiado radicalmente su actitud y carácter. Ella y su padre de repente estaban llevándose mejor que durante meses, reportó Lidia. Nada más había un problema. Javier extrañaba a Isabel. Quería otra oportunidad.

A veces, muy noche, Bel también lo extrañaba. Extrañaba su calor a su lado, sus brillantes ojos, su fuerza y su espíritu. Extrañaba los escalofríos de emoción cuando la miraba, la frenética excitación que salía a flor de piel en ella cuando él la besaba. Cuando la amaba.

Pero en la fría luz de la mañana, afirmaba su resolución. Era demasiado tarde para ellos. Le agradaba que la crisis hubiera unido de nuevo a Lidia y Javier, pero no podía olvidar que Javier había provocado todo el problema. Por negarse a escuchar. Por negarse a confiar en ella y no respetar sus decisiones. Y Bel había tenido que volver a integrarse, curando cuerpos despedazados que no deberían haber estado quebrados. Era un desperdicio.

Podía ser cierto que Javier la amara. Ella podría sentir lo mismo hacia él. Pero sin confianza, lo que sintieran el uno por el otro, aunque fuera amor, no significaba nada.

Y las sopas y dulces y flores y todas las demás muestras de cariño no la convencían de que él no volvería a interferir, ni a tratar de controlarla. Ni que tendría confianza en ella.

Sus pacientes confiaban en ella. Eran más amistosos y chistosos con ella con cada cita. A veces hasta seguían sus consejos. Realmente había gozado la clínica en esos días.

Pero ella encontraría la misma satisfacción en otro lado. Algún lado sin Javier Montoya acosándola día y noche.

Ya había llegado el momento de entregar la carta; la mesa directiva de la clínica se iba a reunir esta noche para evaluar su período probatorio. Su renuncia iba a ser lo primero en la agenda.

Metiendo la carta en un expediente amarillo, se paró tras de su escritorio. No sería suyo durante mucho tiempo. Recorrió su dedo sobre la fibra de la caoba, reflexionando. Había hecho buenos trabajos aquí en Río Verde. Y había sido una gran experiencia.

Se quedaría hasta principios del año, cuando aquel médico provisional estaría disponible. Pero ahora sus días en Río Verde estaban contados. Gracias a Dios.

Alisó su mano sobre la parte delantera de su pantalón de lino y se pasó un peine por el cabello. Recogiendo el expediente, apagó la luz y salió de la clínica para caminar en dirección de la plaza.

—Hola, Isabel —dijo Javier cuando ella entró a la sala de conferencias. Como había sucedido desde el accidente, su voz era cálida y sugestiva, llena de chispas de promesas no hechas ni realizadas.

Por supuesto que estaría aquí temprano. Ella no había podido ir a ninguna parte durante los últimos diez días sin algún recuerdo de su presencia. ¿Por qué había de ser diferente esta noche?

—Javier —dijo ella fríamente, rehusando ser influenciada por su voz ni por verlo. Sus ojos negros, su cuerpo delgado y terso todavía perfectamente visible bajo su saco color canela, su camisa azul y pantalón color azul marino, el mechón de cabello cayéndole sobre su ojo derecho.

—Se trata de un mera formulismo esta noche —dijo él, colocando agendas frente a los lugares de los diferentes miembros de la mesa directiva alrededor de la mesa de conferencias—. Nadie piensa en cancelar tu contrato.

—Yo sí —ella abrió el expediente amarillo y le entregó su carta. Él la leyó rápidamente, y frunció el ceño, arrugando la orilla. Pero luego colocó el papel sobre la mesa y alisó las arrugas. Doblándolo en terceras partes, metió la carta dentro de un bolsillo interior de su saco.

¿Qué haces? —preguntó Bel—. Dame éso.

—¿Cambiando de parecer, Isabel? Demasiado tarde, como te gusta decir. Ya me la diste. Te avisaré sobre la decisión de la mesa directiva.

—Esperaré —dijo ella, repentinamente irritada.

Javier sacó una pluma y agregó un renglón a cada una de las agendas sobre la mesa, que decía: "Renuncia."

Los otros miembros de la mesa directiva se filtraron hacia el cuarto, saludándose cordialmente. Tomaron sus lugares y Javier empezó la junta.

—Tenemos tres asuntos que tratar esta noche —dijo—. Primero, tenemos que decidir si extendemos el contrato de la doctora Sánchez para los dos años. Todos ustedes saben que en un principio no estuve... pues muy entusiasta ante la idea de su llegada a Río Verde, y ella de verdad ha tenido un modo a veces extraño de manejar la clínica... y de equiparla.

—Sin embargo, la doctora Sánchez cuenta con todo mi apoyo para continuar como directora médica. Ustedes saben lo que sucedió con mi hija la semana pasada, y la doctora Sánchez demostró su valor en el campo de batalla. Río Verde no puede sin ella.

Miró sentidamente a cada miembro de la mesa directiva, y luego a Bel.

¿Qué era lo que hacía? Aunque la mesa directiva votara para extender su contrato, ella ya había renunciado. Y Javier lo sabía perfectamente. Es que estaba jugando algún juego, y ella no tenía interés alguno en seguirle la corriente.

Ella se puso de pie.

—Javier, no tiene sentido todo esto. Ya has...

—Está usted fuera de orden, doctora Sánchez —dijo Javier burlonamente—. Siéntese.

—No lo haré. Estás desperdiciando el tiempo de la mesa directiva. No tiene sentido votar sobre mi contrato, porque ya he renunciado. Javier tiene mi carta en el bolsillo de su saco.

Todos empezaron a hablar al mismo tiempo.

—Javier, ¿es cierto éso?

—Doctora Sánchez, no puede hablar en serio. El pueblo ya está muy encariñado con usted. No nos puede dejar ahora.

—Jovencita —fue Hilarión Hidalgo—, incurrirá en incumplimiento de contrato. Una vez que lo aprobemos. Ni crea que podrá zafarse tan fácilmente.

—Javier —dijo Julia García—, veamos la carta.

Javier metió la mano en el bolsillo de su saco y sacó una hoja de papel. Lo desdobló y lo leyó en voz alta:

—"A la mesa directiva de la clínica de Río Verde: Con tristeza, me veo obligado a extender mi renuncia como presidente de la mesa directiva. Me he dado cuenta de manera muy clara que no me es posible supervisar a nuestra directora médica, la doctora Isabel Sánchez, bajo ninguna circunstancia. La amo, y al amar a alguien, no se puede vigilar a esa persona como capataz. Hay que confiar en esa persona y aceptar que hace su trabajo, y que toma sus mejores decisiones médicas y éticas sin intervención."

"Es lo que ha hecho desde el momento en que llegó a Río Verde. Chocamos por muchas de sus decisiones, pero con el paso del tiempo, y por la doctora Sánchez misma, he llegado a entender que ella siempre ha tenido la razón, y yo he estado equivocado. Me arrepiento de no haberme dejado guiar por la doctora Sánchez."

"Pero la razón más importante para mi renuncia es que quiero casarme con Isabel Sánchez. Y no puedo hacer campaña libre para ganarme su corazón y su consentimiento si tengo control sobre su trabajo."

"Ofrezco mi voto en apoyo de su contrato, y por la presente, entrego el mando de esta junta a Julia García."

Entregó la carta a Julia, recogió sus papeles de sobre la mesa y caminó a la puerta.

—Vamos, Isabel —dijo—, deteniéndose frente a su lugar y haciéndola ponerse de pie—, hay que dejar a la mesa platicar y votar.

El cuarto se convirtió en pandemonio, con todos hablando al mismo tiempo y gritando preguntas que Javier ignoró al sacar a Bel por la puerta.

—Tú... ¡tramposo! —regañó Bel mientras él cerraba la puerta de la sala de juntas tras de ellos—. No fue mi carta que leíste.

—No —sonrió como si acabara de lograr un golpe de estado, y Bel se sintió... derrotada. Confundida. ¿Qué era lo que él estaba haciendo?

Entonces Javier se puso serio de nuevo.

—Hablé en serio, Isabel. Quiero otra oportunidad contigo. Pero no me has estado escuchando. Necesitaba hacer algo... dramático para que me hicieras caso.

—Ah, pues, me he fijado perfectamente bien —dijo ella en voz baja—, por encima de todo, eres dramático, sin duda alguna.

—Pero no me hacías caso —la regañó con cariño—. Finalmente me di cuenta que yo estaba haciendo las cosas equivocadas. Tú no necesitabas romance de mi parte, por lo menos todavía no. Necesitabas algo más fundamental.

—Te amo, Isabel Sánchez. Y te prometo por todo lo más sagrado que no intervendré en tu trabajo, ni en tus decisiones. Tú no me rindes cuentas de eso ya para nada.

Lo único que quiero es compartir el resto de tu vida. Como tu marido.

Él le tocó la cara, levantándola para que ella pudiera ver la absoluta sinceridad en sus ojos.

—Javier, no. Te he dicho que...

—No hables. Escucha. Tú te has ganado tu lugar en Río Verde. Ya es tu hogar. Nada más tienes que creerlo para que sea cierto.

—Alguna vez lo sentí así. Pero Javier, tú y yo, somos tan diferentes...

Él sacudió la cabeza.

—No, corazón. Somos muy parecidos. Queremos las mismas cosas; un lugar nuestro, del que seamos parte, donde nuestro trabaja tenga importancia. A los dos nos gusta estar en control —rió, secamente—, pero estoy dispuesto a renunciar a ese control en lo que te concierne a ti.

Había renunciado de la mesa directiva. Por ella. Para que se diera cuenta que tenía confianza en ella. Para que no tuviera excusa alguna para supervisarla ni controlar sus decisiones. Era una concesión de su parte. Una enorme concesión.

¿Pero había sido suficiente para que ella pudiera imaginar el resto de lo que él había ofrecido? ¿El matrimonio? ¿Siempre? ¿Una vida juntos en Río Verde?

Ella lo miró desesperada. Estaba acostumbrada a tomar decisiones de vida o muerte, pero ésta...pero ¡ésta! Exigía la decisión de toda su ser, cada fibra de su ser. Esta vez la decisión tenía que ver con su vida.

—Si me dices que no, Isabel, si insistes en irte, te seguiré —presionó los dedos más firmemente alrededor de su cara—. He esperado demasiado tiempo por ti, y no voy a dejar que te me vayas. Regresaremos a ese cuarto, daré tu carta a la mesa directiva, y nos iremos juntos.

Ella lo miró, incrédula.

—¿Me seguirías? ¿Aunque te dijera que no?

—No me queda otra, Isabel. Te amo.

No esperó que ella respondiera con palabras. Cortó su tren de pensamiento con un beso duro que revivió en ella todos los recuerdos que tenía de él en un brillante instante. Él se hundió en la consciencia de ella, en su alma, y ella supo que tampoco le quedaba otra alternativa.

—Di que sí, Isabel —murmuró contra su boca—. Di que te casarás conmigo. Mañana, el mes entrante, dentro de un año. Pero di que sí.

—Sí, Javier —jadeó—. Ay, sí.

Él rompió el beso para levantarla del suelo, dándole vueltas en el aire.

—Vamos a decirle a la mesa directiva. Ellos tienen su médico, yo tengo una esposa.

Día de los Novios, tres meses después

—¡No puedo creer que me traigas a la clínica el día de nuestra boda, Javier! —Bel rió al bajar de su camioneta—. ¿Qué podemos necesitar de aquí ahora?

—De verdad, se trata más de lo que ellos necesitan de ti —dijo—. Subieron a la acera, y Javier abrió la puerta principal de la clínica para Bel.

Dentro de la sala de recepción, ese cuarto oscuro y deprimente, un pequeño grupo de gentes se había reunido. Bel reconocía a todos. Pacientes, colegas de Javier, hasta Hilarión Hidalgo. Cada uno estaba armado con escobas, sacudidores, lonas, brochas y rodillos. Y Alicia estaba parada a un lado de ellos, viendo muestras de pintura y planos.

¿Qué es lo que pasaba?

—Hola, doctora —dijo Alicia, pareciendo algo apenada—. Queríamos sorprenderla, pero Javier dijo que usted debería poder opinar sobre la redecoración.

—No comprendo —dijo Bel, viendo alrededor del cuarto a Javier, Alicia y los demás.

—Es su regalo de bodas —explicó Alicia—. Por venir hasta aquí y soportarnos a todos, y por quedarse con nosotros. Quisimos hacer más agradable la clínica. De verdad, para todos nosotros. Así que todos estamos aquí para limpiar y pintar, pero usted tiene que escoger los colores.

Alicia entregó a Bel varias muestras de pintura; hermosas cremas, pasteles pálidos, azules brumosos.

—Todos diseñados para calmar a los pacientes y mantener baja la presión arterial —notó Alicia—. Queremos pintar un arco iris en el rincón de los niños, poner unos animales y colocar un pizarrón, pero el resto del cuarto será pacífico y relajante.

—Yo, yo no sé que decir —titubeó Bel, emocionada más allá de las palabras—. Gracias. Este cuarto necesita tanto… y llegué a pensar que jamás tendría tiempo.

—Así que escoja un color —le dijo Alicia.

Ella frunció el ceño un momento, estudiando la selección.

—El arco iris y animales se verán mejor sobre ésto —dijo, entregando a Alicia el pedacito del color de marfil.

—También reflejará la luz de la ventana —dijo Alicia en aprobación—. Bueno, Hilarión, ve por la pintura —le entregó el pedazo de pintura, y al salir él, recogió un par de cajas hermosamente envueltas para regalo de una mesa.

—Tenemos unas cuantas cosas más para usted —continuó Alicia, entregando la primera caja a Bel—. De todos nosotros que dependemos de la clínica.

La caja era ligera, y Bel vio a todo el mundo, casi sin poder hablar.

—Yo, pues, gracias —dijo débilmente. Se le llenaron los ojos con lágrimas. Era tan inesperado, tan sincero. Había llegado como extraña, y ahora…

—¡Ábrelo! —escuchó una voz.

Y lo hizo. Quitó el bonito moño blanco con plateado, metió su dedo sobre la cinta adhesiva que sostenía el papel de regalo en su lugar y lo dejó caer al piso. Levantando la tapa de la caja, vio una nueva bata blanca de laboratorio, igual que la que siempre usaba en el trabajo. Nada más que ésta estaba bordada "Clínica de Río Verde, Isabel Sánchez de Montoya, M.D.

Su nuevo nombre. Su nueva recepción. Su nuevo hogar. Era tan emocionante, tantos cambios tan maravillosos. Una lágrima recorrió su mejilla, y la limpió, apenada.

—Perdón —aspiró por la nariz—. Estoy un poco ... emocionada.

—¡Hay más! —dijo otra voz en el grupo—. Entrégalo, Alicia.

La segunda caja era pesada, muy pesada. Bel se sentó para abrir este regalo, otra vez jalando el moño y el papel de envolver antes de levantar la tapa. Quitó las capas de papel de china, y descubrió una placa de bronce. También decía: "Clínica de Río Verde, Isabel Sánchez de Montoya, M.D."

Bel levantó la mirada hacia Javier, impotente ante la emoción, y luego miró a toda las personas reunidas a su derredor, viéndola con aprobación.

—Es tu placa —dijo Javier orgullosamente—. Para colgar afuera para que todo el mundo sepa donde trabajas. De dónde eres.

—Estará colocada en cuanto regresen de la luna de miel —prometió Alicia—. De hecho, ya ni reconocerá este lugar —golpeó las manos—. Y ahora, que todo el mundo termine de limpiar y de mover los muebles. La pintura llegará pronto, y todos tenemos que asistir a una boda esta tarde.

Todos empezaron a trabajar con entusiasmo cuando Bel se levantó. Durante unos momentos no pudo ni pensar en hablar, tan emocionada por el espíritu de las personas que la rodeaban. Habían venido todos a ayudar en la clínica. Por Javier. Por ella. Se sentía conmovida y honrada, y tenía que darles las gracias.

Levantando una mano, hizo que el grupo se detuviera mientras hablaba.

—Gracias. Muchas gracias a todos. No puedo decirles cuanto significa todo ésto, que estén todos aquí, ayudando en la clínica... y ayudándome a mí. He encontrado un lugar que puede ser un verdadero hogar, y todo se los debo a ustedes y a sus familias, a todos en Río Verde. No hay palabras para agradecerles.

—Y ahora, es hora de irnos, Isabel —dijo Javier, tomándola por el brazo con un poco de actitud posesiva—. Veremos a todos en la iglesia a las cinco.

—¡Gracias una vez más! —dijo Bel, agitando la mano mientras Javier la impulsaba a salir por la puerta y a la camioneta de nuevo.

Al arrancar el motor, se inclinó hacia ella y la besó suavemente.

—¿Estás lista, Isabel? ¿Para toda una vida de nosotros?

Ella sonrió y asintió con la cabeza.

—Para toda una eternidad, Javier.

—Para siempre jamás —asintió él.

¿CREE QUE PUEDE ESCRIBIR?

Estamos buscando nuevos escritores.
Si quiere escribir novelas
románticas para lectores hispanos,
¡NOS GUSTARÍA SABER DE USTED!

Las novelas románticas de Encanto giran en torno a dos protagonistas hispanos—un hombre y una mujer—y reflejan con autenticidad la cultura de Estados Unidos. El foco principal de la trama debe ser el romance y las relaciones entre los personajes. Desarrolle el romance al principio de la novela y mantenga simple la trama. La mayoría de la trama, o toda, debe tener lugar en Estados Unidos, pero algunas partes pueden ocurrir en un país de habla española.

QUÉ DEBE ENVIAR

- Una carta en la que describar lo que usted ha publicado anteriormente o su experiencia como escritor o escritora, si la tiene.
- Una sinopsis de tres o cuatro páginas en la que describa la trama y tres capítulos consecutivos. El manuscrito final debe tener unas 50,000 palabras (aproximadamente 200 páginas a doble espacio, escritas a máquina o en computador).
- Un sobre con su dirección con suficiente franqueo. Indíquenos si podemos reciclar el manuscrito si no lo consideramos apropiado.

Envíe los materiales a: Encanto, Kensington Publishing Corp., 850 Third Avenue, New York, New York 10022. Teléfono: (212) 407-1500.

Visite nuestro sitio en la Web:
http://www.kensingtonbooks.com

CUESTIONARIO DE ENCANTO

¡Nos gustaría saber de usted!
Llene este cuestionario y envíenoslo por correo.

1. ¿Cómo supo usted de los libros de Encanto?
   - ☐ En un aviso en una revista o en un periódico
   - ☐ En la televisión
   - ☐ En la radio
   - ☐ Recibió información por correo
   - ☐ Por medio de un amigo/Curioseando en una tienda
2. ¿Dónde compró este libro de Encanto?